W9-BVX-941
CHICAGO PUBLIC LIBRARY

ANTHONY QUINN

GRANDES MEXICANOS ILUSTRES

ANTHONY QUINN

Silvia García Jerez
Miguel Juan Payán

DASTIN, S.L.

Sp/ PN 2287 .Q5 G37 2003
Garc ia Jerez, Silvia.
Anthony Quinn

© DASTIN, S.L.
Polígono Industrial Europólis, calle M, 9
28230 Las Rozas - Madrid (España)
Tel: + (34) 916 375 254
Fax: + (34) 916 361 256
e-mail: info@dastin.es
www.dastin.es

I.S.B.N.: 84-492-0337-6
Depósito legal: M-15.920-2003
Coordinación de la colección: Raquel Gómez

Quedan rigurosamente prohibidas, sin la autorización expresa y por escrito de los titulares del copyright, bajo las sanciones establecidas por las leyes, la reproducción total o parcial de esta obra por cualquier método o procedimiento, comprendidos la reprografía y el tratamiento informático, así como la distribución de ejemplares de la misma mediante alquiler o préstamos públicos.

Impreso en España - Printed in Spain

R03004 49370

«... en la cual hay muy grandes ciudades y maravillosos edificios y grandes tratos y riquezas, entre las cuales hay una, más maravillosa y rica que todas, llamada Tenustitlán, que está, por maravilloso arte, edificada sobre una grande laguna; de la cual ciudad y provincia es rey un grandísimo señor llamado Moctezuma...».

Hernán Cortés,

Carta-relación al emperador Carlos V, a 30 de octubre de 1520.

Prólogo

Glosar en un texto de las dimensiones del que ahora tiene usted en sus manos, amigo lector, la figura proteica y universal, multiétnica e internacional, mítica y humana, de un hombre, un actor, una estrella como era, es y será Anthony Quinn resulta una misión casi imposible. Por lo que los autores de este libro hemos podido observar repasando la vida y la figura de este actor que consiguió abrirse paso hasta el estrellato en el difícil mundillo de Hollywood, manteniéndose como tal durante varias décadas, sobreviviendo incluso a la crisis del sistema de los estudios, iniciando una brillante carrera internacional, defendiendo personajes condenados a la marginalidad en el mundo anglosajón por su procedencia étnica, el alcance del significado de la figura de Anthony Quinn no parece tener principio ni final; es, como dijo en su momento uno de sus personajes (el jeque que interpretó en *Lawrence de Arabia*), como un río para su gente, y su gente somos nosotros, los espectadores que durante años hemos podido contar con él como infiltrado en las fantasías cinematográficas, por imposibles que éstas fueran. El presente libro está dividido en dos partes. La primera aborda la biografía de Anthony Quinn, y aunque en la misma se citan brevemente algunas de sus películas, es en la segunda parte, dedicada a su filmografía, donde el lector puede encontrar un comentario de todas y cada una de sus películas, junto con un comentario final respecto a sus trabajos en la pequeña pantalla.

PRIMERA PARTE
Biografía

NACIÓ bajo las balas en plena Revolución mexicana. Ha sido Mahoma, Onassis, Zorba el griego o el hermano de Zapata. Lo primero es cierto. Rigurosamente cierto. Lo segundo, toda la lista y muchos más nombres que en ella no aparecen, no lo es. O sí. Son ficción, pero una ficción muy real gracias al hombre que los interpretó y les dio vida en la pantalla. Un hombre que también en ella, y seguimos con la mentira, mentira que si llamamos ficción no lo es ya tanto, besó a las trescientas mujeres más hermosas del cine.

Ese hombre es Anthony Quinn, actor grande y grandioso, pero ante todo un enorme artista, como él mismo se consideraba de manera genérica, y un mejor ser humano, capaz de admitirle a Federico Fellini que las mentiras ya las contaba en el cine y en el teatro, pero que un vez fuera no recurría a ellas.

Mexicano, natural de Chihuahua desde el 21 de abril de 1915, cuenta con verdadera sangre india en las venas. Sus abuelos maternos lo eran y a él mismo le han dicho que «a veces tiene el rostro de un indio tallado en una piedra en la mitad de un desierto americano», pero es algo que nunca le importó, porque reconocía que era verdad. Ellos, Juan Pallarés y Pilar Cano, constituían un matrimonio fuerte y trabajador del que nacieron siete hijos: Pedro, Hipólito, Paulino, Braulio, Guadalupe, Petra y María, de quien nació, cuando ella tenía catorce años, la madre de Tony, como llegó a conocérsele.

Sin embargo, su madre, de nombre Manuela, sí era mexicana. Y su padre, Francisco, un frutero irlandés que se estableció en California; pero no adelantemos acontecimientos.

Los padres de Manuela fueron la ya citada María y el sobrino de una mujer de apellido Oaxaca. El sobrino visitaba a su tía con frecuencia, y dejó embarazada a la madre de Manuela cuando la joven contaba sólo catorce años.

La mujer a cuya casa fue María a trabajar era adinerada por las múltiples minas y tierras que poseía en los alrededores de Chihuahua. Y a esta casa entró su abuela a trabajar a los siete años. Aunque, por supuesto, una vez ocurridos y sabidos los hechos, los Pallarés cambiaron a María de familia y, de paso, renegaron de ella. Sólo hubo un miembro que actuara con corazón: su tío, el sacerdote, que llevó a María y a Manuela a vivir con los indios tarahumaras.

Fue en la sierra donde más felices vivieron las dos, pero a causa de la viruela el mismo tío que las llevó las trajo de vuelta a Chihuahua, y poco después moría. Pero desde que vivieran con los indios, ni madre ni abuela de Anthony pudieron dejar las afueras de la ciudad, por recordarles, de manera mayúscula, la existencia que antes llevaban.

Poco después comenzó la revolución y cuando la madre de Anthony tenía quince años, golpeó la puerta de una nueva familia que se había instalado en uno de los barrios de la parte alta, cerca de la catedral. Eran los Quinn y ya tenían doncella, así que en un principio no aceptaron los servicios que les ofrecía. Días después el hijo de la familia, que había intercedido por la muchacha, la siguió por la calle para pedirle disculpas y comentarle que intentaría convencer a su madre, doña Sabina, viuda de un ingeniero de ferrocarriles que se llamaba Frank Quinn y que había muerto en un accidente ferroviario unos cuatro años antes, para que la dejara planchar sus camisas.

Ante la negativa de la muchacha a arrastrarse más de lo necesario, Francisco le propuso que se hiciera su «soldadera», una de esas mujeres que iban con los soldados de la Revolución caminando al final de la expedición con los ejércitos de Villa o de Zapata, en el tren o a caballo, cargadas de utensilios para hacer la comida y la cama a sus soldados.

La chiquilla lo pensó y al día siguiente se fue con él en el tren.

A lo largo de la noche Francisco llamó a un cura, que casó a la joven pareja. A los pocos días llegaron a su destino. Pero cuando Manuela quedó embarazada, del actor, fue, junto a otras mujeres en el mismo estado, enviada a casa. No encontró a su madre, la señora Sabina la echó y marchó al cobijo que le ofrecía una vecina.

Dos meses después del nacimiento su padre volvió de la guerra herido en el brazo. Tras un primer encuentro con su madre, el trato entre ellos se detuvo hasta su recuperación, debido a lo mal que Francisco se tomó el que su mujer fuera la lavandera del burdel. Él entonces comenzó a trabajar en la fundación local y las tardes que podía las pasaba jugando con el pequeño Tony. Ambos se adoraban, siempre lo hicieron. No en vano Francisco siempre llamó a su hijo «Elefante», apodo cariñoso que le adjudicó desde que Tony era pequeño, debido a su gran estatura. Y Francisco sería para su hijo, durante toda su vida, uno de los seres a los que más quiso.

Un día, después de pasar la tarde en los toros como una verdadera familia, Francisco decidió presentarle el niño a su madre. La abuela no aceptó la situación, ella estaba por delante de Manuela. La situación entonces sólo admitía que él se marchara de nuevo a vivir con su madre y, si la separación ya era dura, la doncella la avisó un día de que, ante el cariz que había tomado la Revolución, doña Sabina y Francisco se marcharon a Juárez.

Pero ella decidió que su hijo no se quedaría sin su padre, así que, en la carbonera de un tren que salía en esa dirección, viajó hasta la ciudad para encontrarle. Y lo hizo. Se quedó viviendo en El Paso mientras lo buscaba y allí continuó una vez hallado, en una cafetería con su madre, por orden del propio Francisco.

Fue el tío materno de Manuela quien intercedió para que se casaran con testigos en la iglesia. Después de todo, ella volvía a estar embarazada, pero una vez concluida la ceremonia Manuela volvió a El Paso. Él la visitaba cada vez con más frecuencia, con más confianza, contándole cosas, pero seguía yéndose largas temporadas. De hecho hubo una en la que Manuela llegó a intimar con doña Sabina, cuando su suegra se había mudado a El Paso y a él el ejército lo destinó a trabajar en una fábrica de municiones en Pensilvania. Allí pasó Francisco tres meses en un hospital. Le había entrado pólvora en el ojo izquierdo y se le había infectado, pero no le gustaba reconocer que estaba enfermo y no se lo dijo a nadie.

Al salir lo licenciaron del ejército, pero aún tardó tres meses más en volver. Nunca supieron qué hizo en ese tiempo, pero lo cierto fue que visitó antes a la familia que él creó, que a su madre.

Pese a todo, volvió a marcharse y justo después unos inspectores les echaron de las chozas por insalubres, por lo que Tony, junto a su hermana Estella, fue a vivir con su madre bajo un árbol en las afueras de la ciudad. Tres meses. Hasta que empezó a hacer mal tiempo.

Por esa época Francisco regresó y su mujer había encontrado un cuarto decente, que vendría muy bien para albergar a la hermana menor de doña Sabina y a su marido junto a sus dos hijos. Pero la estancia de las dos familias en un solo cuarto no duró mucho. Pronto salió un tren para Glamis, para el nuevo mundo, con riquezas y sin miserias, y al llegar a su destino los vagones se convirtieron en su casa.

Los hombres consiguieron trabajo, pero era muy duro y casi todos lo dejaron. Casi todos menos Glafiro, el marido de la hermana menor de doña Sabina, y Francisco. Y con dos no era suficiente, así que Francisco sumó a Manuela. De este modo ganó ella sus primeros catorce dólares, que Francisco le permitió quedarse e incluso aumentó con diez de los suyos.

Una situación parecida volvió a darse tiempo después, cuando la abuela de Tony quiso trabajar cavando una zanja en la calle para ganarse los tres dólares de salario que cobraban los hombres que instalarían el alcantarillado. Quería poder dar de comer a su familia y abordó al capataz. Éste le dijo que se dedicara a lavar o a coser. Ella, quitándole la piqueta a uno de los trabajadores, le demostró que podía hacerlo. Posteriormente, en esa misma jornada, el superior la convenció para que no formara un escándalo, dejara la piqueta y se conformara con llevarle agua a los hombres a cambio del salario completo.

Pero volviendo a la llegada a Glamis, un día, debido a un golpe de martillo de Glafiro, éste le hundió a Francisco un clavo en la mano. La mano comenzó a sangrar y Manuela se arrancó un borde del vestido para vendársela. Lo llevó al vagón y allí metió la mano en un balde de agua caliente con sal, y cuando la gangrena y la fiebre le hacían delirar, Manuela, en mitad de la noche, oyó el silbato de un tren a lo lejos y no lo pensó dos veces antes de salir en plena noche a pararlo en mitad de la vía férrea y meter en él a su marido. El maquinista se encargó de él: no la dejó subir y acompañarlo porque sólo sería un estorbo. Y una vez hubo dejado a Francisco en un buen hospital de Los Ángeles, el maquinista desapareció. Ni siquiera llegaron a saber cómo se llamaba.

La temida amputación no tuvo lugar, y el paciente envió una nota a su mujer diciéndole que se quedaba allí, que no iba a volver y que su familia sólo tenía que trasladarse al que sería su nuevo hogar, con la ayuda de unos pasajes que la gente del ferrocarril pagaría a cambio de que firmara unos papeles según los cuales la empresa no era responsable de su accidente.

Inés, la hermana menor de doña Sabina, Glafiro y los niños se quedaron. Los demás partieron hacia la gran ciudad, donde se instalaron en una gran casa en Clover Street.

Una tarde de sábado ocurrió un hecho decisivo en la vida de Anthony. Sus amigos, Willy, Danny, el Compadre y él, instigados por Sydney, se enfrentaron, deportivamente hablando, «en realidad se dedican a correr unos contra otros», a unos jóvenes rubios que se encontraban entrenando al otro lado de una reja. Su preparador, intentando evitar una pelea, les invita a retarse con ellos. Por turnos, Sydney corrió en dos ocasiones. Ganó en las dos y, aunque pensaba haber disputado las demás carreras, que no le correspondían porque el acuerdo era una cada uno, se vio obligado a delegar. Anthony, tras un enorme esfuerzo, también salió victorioso de la suya, y sentirse el número uno sería algo que seguiría persiguiendo lo largo de su vida.

Y es que pocos actores se han entregado a su trabajo con tanta pasión, incluso desde sus frustrados inicios. El de Anthony pudo haber sido disfrazado de cachorro de oso pardo en una escena que se iba a filmar en los Estudios Salig, donde su padre alimentaba a las panteras negras, una de las cuales fue «el primer gran amor de Tony». Le encantaba estar al lado de ese animal negro, acariciarlo, sentirlo y darle de comer. Si él no estaba, la pantera se negaba y lo buscaba. Llegó incluso a morder a su padre y estuvo a punto de arrancarle el brazo, cuando intentaba alimentarla. Tony se encargó de hacerlo mientras su padre se recuperaba en el hospital. Pero al mudarse la familia, su particular historia de amor terminó.

Además de panteras, en los Estudios Salig tenían dos osos entrenados, pero faltaba un cachorro, y ante la idea de que alguien tendría que disfrazar a un niño, su padre aseguró que él sabía de uno que no tendría miedo ante la perspectiva de trabajar con dos osos, entrenados o no. La excitación impidió al pequeño dormir esa noche, pero a la mañana siguiente, al despertar, Anthony amaneció con una fiebre muy alta y su padre recurrió a su primo, al que él odiaba —al que nunca perdonó que un día tomara el excremento que Tony acababa de soltar en un viejo tronco de árbol, porque mientras sus padres trabajaron en los ferrocarriles no hubo lavabo en la casa, y se lo restregara por la cara—, para que le reemplazara.

Afirmaba que la semilla del gusanillo de la interpretación se la plantó su abuela, quien solía llevarle al cine, revivir la película en casa y apretarle la mano mientras miraba a la pantalla. Sus preferidos eran Antonio Moreno y Ramón Novarro.

Por aquella época su padre le inscribió en la escuela bajo el nombre de Antonio Rodolfo Quinn, a petición de Rodolfo Valentino, a quien Tony quiso mucho. Él le hizo a su progenitor la sugerencia de tomarle en adopción para que él, un hombre rico, pudiera llevarle a las mejores escuelas. Y si ello no podía ser posible, al menos que llevara algo de su nombre en el de Tony. Por tanto, con ese nombre quedó inscrito.

Y sólo cuando empezó a estudiar actuación, su abuela se mostraba interesada y no cuando parecía que podría decantarse por la arquitectura, el boxeo o el sacerdocio, profesión que se planteó con seriedad a los once años. A los seis ya se había sentido fascinado por el mundo de la Iglesia al entrar en la católica, a cuyas puertas solía lustrar los zapatos de los clientes. Cierto día, el mismo en que murió su padre, no tenía mucho que hacer y decidió aceptar la invitación de un joven cura que estaba en la puerta, sintiéndose inmediatamente fascinado por el ritual. Años más tarde iba a estudiar con el padre Anselmo para desarrollar su vocación. Advertido por el sacerdote de que la profesión sería difícil, consiguió dar unos primeros pasos como monaguillo, pero para entonces el descubrimiento de la realidad, de otras formas de religión perfectamente válidas, como la Iglesia evangélica, que hasta habían conseguido que su abuela mejorara y se recuperara de unos terribles dolores que la afligían, le hicieron plantearse la complejidad del mundo religioso y llegó a integrarse en la Fourquare Gospel Church, donde entró invitado a tocar el saxofón, instrumento que le había comprado su madre en el centro de Los Ángeles, en la casa de música Wurlitzer, haciendo un pago inicial de cinco dólares que había que complementar con otro más cada semana, dado que quería convertirse en director de orquesta, influenciado por el ídolo del momento, Rudy Vallee.

Fue allí donde conoció a Aimeé Semple McPherson. Ella era quien regía los ritos, una mujer de tremendo magnetismo personal que le pronosticó un futuro de gran predicador.

Aimeé tuvo una enorme influencia sobre él. Para Tony ella era la actriz más grande de todos los tiempos y el púlpito, su escenario. Ser actor era una posibilidad sin duda más cercana y con mayores posibilidades.

Según él, un actor sería capaz de entregar su alma con tal de crear un luminoso momento de verdad sobre el escenario o en la pantalla. Y añade que «a menudo dicen: ¡Cómo me gustaría conseguir un papel al que pudiese realmente hincarle el diente! Es un tópico, por supuesto. Lo que realmente quieren decir es que están buscando el personaje que les permitirá poner un espejo frente a todos los sueños que nunca han expresado, a todas sus ansias, a su soledad, un papel que les asegure un lugar en el muro de la verdad absoluta. El actor quiere entregar al mundo ese momento esencial: lo que quiere es dar. Por eso amo esta profesión».

Nunca tuvo una ambición especial, pero sí admitía su terror al anonimato, a ser nadie al final de sus días, a que ni una sola persona supiera, tras su muerte, que él había vivido.

Solía ir con su abuela al cine desde que volcó todo su cariño en ella tras la muerte de su padre, ocurrida después de ser aplastado por un coche mientras ayudaba a subir una fuerte pendiente al vehículo que conducía otro revolucionario que combatió junto a él, José Arias, y donde llevaba también a su compañero de trabajo en los Estudios Selig, Bob Wilson, para salir de Brooklyn Avenue tras pasar casi todo el día juntos.

Era un auto que Francisco le había vendido a José unas semanas antes por cincuenta y cinco dólares y ese dato, unido al de que el conductor era novato y aún poco mañoso, dan como resultado el que la necesidad de ayuda no se hiciera esperar.

Tony no aceptó la muerte de su padre y jamás perdonó a su madre el que ni seis meses después de quedarse viuda la viera apoyada contra la pared de una de las oficinas donde había comenzado a trabajar, con alguien que tenía una mano en su hombro. Tony sacó la navaja que llevaba, su madre gritó y le explicó que él sólo la estaba acompañando hasta que Anthony llegara; pero él se refugió en su abuela, quien no había conocido más que a un hombre en su vida y vivía según el principio: «Un hombre y un muro de un metro de ancho para el resto del mundo.»

Cuando Tony tenía catorce años su madre volvió a casarse. Frank Bowles fue quien les hizo a su hermana y a él los regalos que obtuvieron en las Navidades de 1929, en plena Depresión. No esperaban nada porque nunca habían tenido mucho dinero, pero los regalos llegaron y Frank con ellos. Anthony no lo aceptó. No entendía cómo su madre podía estar con otro que no fuera su padre, y se prometió rechazar todo aquello que viniera de él. Su madre se fue a vivir con él a una casa que daba al lago Echo Park, y tanto su hermana Estella, como doña Sabina y él, a una casa con tres habitaciones que le consiguieron su madre y su padrastro. La casa tenía hasta cuarto de baño, pero él había sido relegado al número dos. ¡Y por un hombre que se llamaba como su padre!

Además, había nacido en Uvalde, Texas, y tenía las costumbres y los prejuicios de la región donde él también había pasado una parte de su vida, ya que El Paso está en Texas. Actitudes que se pusieron de manifiesto un día, seis medes después de haberse casado con su madre, en que fue a la casa a darles a su hermana y a él unos regalos y a llenarles la cocina de alimentos. Tony, sin intención alguna de abrir su regalo, terminó haciéndolo ante la insistencia de su madre. Eran unos zapatos que tendría que pagarle a Frank ayudándole a limpiar ventanas los sábados por la tarde.

La reacción de Tony no se hizo esperar y le lanzó a su padrastro uno de los zapatos, a lo que él respondió tirándole la naranja que estaba comiendo y ambos se enzarzaron en una lucha tras la cual Frank salió de la casa insultándole y gritándole a su mujer que si se iba con él. Entre la petición de su hijo de abandonar a su nuevo marido con el aliciente de que Tony había empezado a boxear y de que pronto ganaría millones, y la seguridad de que su conciencia y su educación le exigían que se marchara con Frank, eligió a este último.

Efectivamente, Tony estaba tocando varias profesiones. No tanto para descubrir cuál era su auténtica vocación sino para sobrevivir. Simple y llanamente. Fue electricista, carnicero, albañil, vendió periódicos, lustró zapatos, fue aseador en una planta envasadora de carne, trabajó para la Empresa de Desagüe de Los Ángeles, recogió fruta, condujo un taxi, repartió telegramas, limpió ventanas, enceró pisos, vendió perfumes baratos, limpió baños inmundos, trabajó en una fábrica de colchones o boxeó por cinco dólares la noche.

Intentó incluso ser torero. Una tarde estaba en una plaza dispuesto a dar un pase, cuando escuchó una voz en la grada. Era su madre: «¡Si no sales de ahí ahora mismo, entro en el ruedo y te saco de las orejas!» El público le gritaba que no tenía valor, que lo iba a retirar su madre antes de dar el primer pase, y de hecho, cuando vio el toro cerca y a su madre saltando de la barrera, terminó su carrera taurina.

Parece increíble que haya podido trabajar en todo eso, pero lo cierto es que cuando se pretende salir de la pobreza todos los trabajos son pocos, están mal pagados y peor considerados. La humillación llega pronto, apenas con una mirada de suficiencia de quien, más que pedirlo prestado, exige un servicio a alguien que considera inferior. Tony llamaba a esa clase de personas «los cogote colorados», y los conoció en Texas. Fue allí donde supo que ellos se consideraban los únicos «hombres». Pero fue en San José donde comenzó a odiarlos.

Aunque no todos eran así, los había compasivos y generosos. Una vez lo hubo. En el Rancho Camarillo, donde sus vecinos, la familia Martínez, iban en verano a recoger albaricoques. Tony se sumaría al viaje con la condición, pactada, no impuesta, de que él pagara sus gastos. Al llegar, había cientos de familias esperando a ser contratadas y él no estaba en la lista, pero afirmó tener dotes de mando y se le asignó el papel de capataz en los cobertizos de azufre.

Pero se metió en una pelea con uno de los hijos de los Martínez porque le llamó «gringo», al suponer que se había pasado al bando de los «patrones». Tras su pelea con Valentín, la señora Martínez le dijo que no podía seguir viviendo con ellos, por lo que hizo un trato con otra familia.

Contaba que la mujer de la nueva familia no era generosa con las raciones y hubo de complementar su alimentación con albaricoques, naciendo un odio lógico hacia la fruta en cuestión durante el resto de su vida.

Pero trabajó bien, y al término del verano obtuvo el dinero prometido: ochenta dólares que el señor Green le había guardado sin racionárselo, a petición del propio Anthony, debido al miedo que tenía de que alguien pudiera robarle algo.

El señor Green estuvo un rato hablando con él, interesándose por su familia, por sus ideales para el futuro y, ante la perspectiva de que el muchacho volviera a su casa haciendo autostop, añadió a su paga diez dólares con el fin de que comprara un billete de autobús y guardara lo que sobrara para «una buena cena».

Debía tener unos ocho años cuando le invitaron a reunirse con un grupo de chicos en un sótano. Había chicos mayores que él, y en concreto uno de unos catorce años sacó su pene, grande y negro, y retó a los demás a que «el que acabe el último es un hijo de puta».

Tony no sabía bien lo que había que hacer, pero vio cómo los demás chicos frotaban sus miembros de arriba abajo compulsivamente y él, asustado y lleno de miedo, sacó el suyo. Durante mucho tiempo asoció el sexo con un olor entre almizcle y humedad.

También había otro joven del que abusaban sexualmente. Al sufrir ese trato se les llamaba «esclavos». Alonso usaba colorete, pero ni tal característica ni el posterior abuso sexual eran asociados por ellos con la homosexualidad.

Ésos fueron parte de los inicios sexuales de Tony, todo un reconocido Don Juan al que han intentado acercarse también los hombres, empezando por su primo, cuatro años mayor que él, cuando vivían en la calle Daly y salían al campo a recoger pasto para alimentar conejos. En pleno trabajo se bajó los pantalones y le pidió que le metiera el miembro. Tony sólo pudo huir. Pero ya de mayor, en el teatro, un director sí intentó agarrarlo, y un astro del cine al que visitaba una vez le sugirió que se acostaran.

El actor que trató de seducirle fue uno de los más destacados del grupo Gateway Players, alguien que para entonces ya se había hecho un nombre y el de Quinn sólo empezaba a confirmarse como un proyecto de actor sensacional. Le llevó a un restaurante, tomaron vino y Tony le acompañó a su casa de Beverly Hills a tomar el último trago. No es que se sintiera atraído por él, sólo halagado porque alguien importante se interesara en él. Pero su inocencia no le permitía darse cuenta de lo que podría ocurrir y comenzó a pasar. La copa era una excusa para llevarle a su casa. Directamente sacó dos pijamas y le instó a que se acostaran. Tony no tenía sueño y no le vio sentido a la propuesta.

Su anfitrión le declaró su amor y le confesó que se había enamorado de él con sólo verlo. Tony se asustó, le dijo que a él eso no le interesaba, que tenía una chica y que no necesitaba experimentarlo todo para ser actor. Su amigo no lo aceptaba. También él tenía chicas, pero le prefería a él.

Trató de abrazarlo, Tony le empujó a la cama y se puso a llorar. A continuación lo echó de su casa y le gritó que nunca sería un actor ni sería nada. Y añadió que no se olvidara de que «la vida es como dos montañas y no hay ningún valle».

Lo cierto es que él adoraba a las mujeres. Y siempre le aterró saber qué número le correspondía con cada una de las que se enamoró.

El hermano de su abuela, a quien conoció como tío Cleofás, llegó un día a la casa cuyas ventanas daban a los recintos del ferrocarril y que su padre, para no verlos, pintó con diferentes escenas, ya fueran unas montañas con un arroyo que serpenteaba por un valle, unas vacas con caballos pastando en las praderas, el océano Pacífico o una pequeña aldea.

Anthony tenía entonces seis años. Había estado «jugando» con una vecina, su madre les había visto y le había dado una paliza. Su tío le defendió. «Cuando aparece el impulso en los niños resulta nocivo reprimírselo», les dijo. Doña Sabina pidió silencio y Cleofás contraatacó diciéndole que «gracias a Dios nuestros apéndices funcionan todo el año» y que Tony y él tenían que tener una conversación al día siguiente, «cuando no estén presentes estos puritanos».

Cleofás lo llevó al patio y le dio su primera lección en el arte de amar. Puntos clave como que «la relación con las mujeres matiza toda la vida de un hombre» o que «aprende a manejarlas y podrás manejar cualquier cosa».

Hablaron de hombre a hombre. Tony le confesó que le gustaba una chica del colegio, pero que ella prefería a otro que le compraba dulces. Cleofás le aconsejó entonces que la ignorara para captar su atención. Le hizo ensayar un peculiar estilo a la hora de andar, consistente en caminar de forma que pareciera que tenía mucha prisa, escaso tiempo incluso para gastarlo mirándola; era preferible una mirada rápida, como a través de ella, no a ella. No dio resultado y su tío le aconsejó, finalmente, que la olvidara.

Pero de los doce años conserva un recuerdo hermoso.

La protagonista era una mujer pelirroja que vivía en la misma calle que él, la calle Fisher, una cabaña de madera de muy buen aspecto. Estaba casada con un ocupadísimo trabajador del ferrocarril. Una noche, andando por la calle, vio que se encendía la luz de su habitación y que ella entraba después de salir del baño, secándose con una toalla. Él se acostó en la cama y comenzó a gemir, y cuando dejó escapar un grito sofocado sintió algo húmedo bajando por sus piernas.

No sabía qué había pasado, pero por aquel entonces empezó a tener miedo de que su abuela viera las manchas de su cama.

Pero aparte de todo eso, y de que le enseñara el pene a su prima por un agujero de una cerca, no tuvo una auténtica experiencia sexual hasta el picnic de Seal Beach.

Había ido con Frank, quien aún no se había convertido en el segundo marido de su madre y a quien terminó acompañando después de que su abuela le convenciera de que su madre tenía derecho a buscar otro esposo. Había una chica muy alta de unos dieciocho años a la que, simulando nadar, había rozado. Por la noche, al calor y la alegría de la fogata, se brindó por Frank y su madre debido a su inminente boda. Después de unas botellas de cerveza, que pese a la prohibición la gente conseguía fabricar en sus casas, Tony se mareó y la muchacha lo llevó a quinientos metros de donde se encontraban. Lo recostó en la arena, la tierra dejó de girar y él se durmió. Despertó poco después, en concreto media hora más tarde, según le informó ella. Pero él sabía que se había despertado antes, justo cuando notó que le estaba lamiendo el pene. Sólo que él no abrió los ojos entonces para no detenerla y hacerla huir. Para no hacer huir a una chica que le había deseado sin pedir nada a cambio. Nunca volvió a verla, lo cual no le impidió seguir soñando con ella.

A los quince, por mucho que hubiera empezado a ganar un poco de dinero tocando el saxofón con una pequeña orquesta, entró a trabajar en una nueva fábrica en Downey. Mintió sobre su edad. Contestó que tenía dieciocho y nadie se lo discutió. El capataz le explicó lo que tenía que hacer en una de las diez líneas de montaje: debía apretar resortes con rapidez y se pagaba por unidad, así que el hecho de que las manos sangraran importaba menos que acumular dólares. Llegaba a sumar quince y dieciséis a la semana, y aunque a su madre no le hacía ninguna gracia que hubiera abandonado la escuela, él la amenazó con marcharse de casa si le imponía volver.

Pero fue el inspector de asistencia quien lo sacó de allí y lo arrastró a la escuela. Su abuela había conseguido tranquilizarle en una visita que el inspector les hizo a casa y después Tony logró despistarle dos meses más. Para entonces él ya era capataz: cuando el patrón vio que resultaba imprescindible tenerlo con el fin de que tradujera a la mayoría de los chicos, que eran mexicanos y estaban siendo guiados por otro americano, aquél decidió ascenderlo. Los muchachos se alegraron, ya que Tony era más benévolo, sabiendo lo duro que era el trabajo.

Le dio pena dejarlo. Había un buen ambiente, le gustaba estar allí y la tarea a desempeñar, y ganaba veinte dólares a la semana, pero tuvo que buscar otra cosa. Por lo pronto se unió a Sydney y a Willy para descargar camiones en el mercado de Central Avenue los sábados por la mañana, pero un día se encontró con Buddy, un joven al que hacía tiempo que no veía, y lo vio exultante, con un traje nuevo y zapatos de dos colores. Estaba ganando veinticinco dólares por noche, boxeando.

Inmediatamente fue a la calle Swing, donde un hombre sentado detrás de un escritorio le preguntó en qué peso peleaba. La respuesta fue «welter» y lo contrataron para pelear en Gardena, en un encuentro a cuatro asaltos donde el ganador recibiría cinco dólares y el perdedor tres. Buddy se encargó de entrenarle y acompañarle. Tony estaba preocupado, era alto pero sólo pesaba sesenta y seis kilos, así que pensaba que necesitaba ponerse más en forma. Una vez en Gardena, oyó a un hombre decirle que estaba apostando por él. Su preocupación derivó en miedo. Miedo sobre todo a hacer el ridículo.

La suya era la tercera pelea. Cuando le tocó el turno, Buddy le empujó y se encontró bajo los focos del cuadrilátero. Al sonar la campana descubrió que en su oponente también había temor, pero al final del cuarto asalto, y de que ambos hubieran luchado bien para ganarse su dinero, Tony resultó vencedor. Volvieron a casa, pero antes, algunos de los que apostaron por el, les invitaron a cenar. Y con nuevas fuerzas e ilusiones fundadas, empezó a pelear con regularidad.

En una ocasión, a la octava o novena pelea, se enfrentó con un pelirrojo que realmente le puso en peligro. Logró vencerlo, pero a costa de hacerse daño en la mano derecha al parar un gancho de izquierda lanzado directamente al riñón. Su éxito motivó que un hombre quisiera encargarse de convertirlo en campeón. Se llamaba Jim Foster, un conocido empresario de primeras figuras que le pagaría diez dólares a la semana por entrenarse, pero debía dejar los combates y no pelear hasta que él se lo indicara.

Buddy siguió siendo su entrenador. Corría por las mañanas, algunas tardes asistía a la escuela y al salir se dirigía al gimnasio a ver a los grandes, gimnasio que el señor Foster pagaba y donde otro entrenador supervisaba sus avances y corregía sus defectos. Vivía como un auténtico boxeador. Y llegó a ganar más de lo estipulado por los empresarios, ya que cuando empezó a pelear, Jim le dejaba quedarse con el treinta por ciento que le correspondía de lo que ganara Tony. Eso se debía a que Tony le comentó lo poco que le quedaría en caso de no hacerse con la cantidad íntegra. Así recibía entre veinte y treinta dólares por encuentro. Y ganaba todas las peleas.

Pero además hinchaba su economía entrenando a Primo Carnera, campeón mundial por aquel entonces, pero un tipo muy grande, pesado y lento. No podría ser un buen boxeador con esa lentitud, y Buddy y él fueron contratados para ayudarle, por cinco dólares cada cinco minutos.

Cuando hubo participado en unos trece encuentros, Jim, que seleccionaba a todos sus oponentes, le dijo a Tony que le iba a conseguir un combate como semifinalista, tercera mejor categoría tras los titulares y los preliminares. Eso era bueno, era un salto, un ascenso, pero que el barrio donde fuera a tener lugar se llamara Watts no era precisamente positivo, dado que era uno de los más violentos. Pero venció y ganó cincuenta dólares. A esa pelea siguió otra como preliminar que también ganó.

Y luego fue a Long Beach. A una semifinal contra un joven negro, a la que asistió su grupo al completo.

Hasta el cuarto asalto todo fue bien, se sentía cómodo y seguro. Pero al llegar al cuarto le alcanzó con la derecha. Tony se sobresaltó y se encontró a continuación agachándose para protegerse de la masa que se le venía encima. El golpe vino por el otro lado de la cabeza y le estabilizó. Fin del cuarto asalto.

Principio del quinto. Tendría que tener cuidado. De hecho no comenzó mal, Tony no dejaba de pegarle con la izquierda, pero se bloqueó al escuchar al público que matara al negro. Recordó aquella vez que en la escuela no pudo pegar al muchacho que le había llamado judío, pero Tony no podía explicarse ante Buddy, que estaba realmente furioso. Sonó la campana del sexto. El público cambió de bando y pidió que se pegara al mexicano. Tony se volvió para saber quién había gritado eso y recibió un golpe en el lado derecho de la mandíbula, otro después en el estómago y se desplomó.

Una vez en el camerino, que compartía con otros boxeadores, entró Jim Foster enfurecido, pidiéndole explicaciones de por qué no había usado la derecha. Tony le dijo que no había tenido ninguna posibilidad y le prometió que en el siguiente combate le ganaría.

Pero no habría próximo combate. Jim le aseguró que como volviera a verle en un cuadrilátero le daría una paliza él mismo. Porque no, Tony no era un asesino y «uno no tiene nada que hacer en este juego a menos que sea un asesino». Buddy estuvo de acuerdo con la opinión y también su abuela, que hacía meses que rezaba para que lo dejara, pese a que le había hecho la bata con la que salió a boxear en ese último combate, siguiendo las instrucciones de Buddy. Tony amaba y odiaba el boxeo. Le gustaba el dramatismo, las luces brillantes y la atmósfera, algo teatral por otra parte.

Pero odiaba los olores del camerino, la indignidad entre bastidores y los tremendos esfuerzos que había que hacer para lograr algo con los puños.

Por tanto, nieto y abuela sabían en el fondo que ese deporte sólo era una forma de ganar dinero. Pero ya se estaba acabando la gama de trabajos que ofrecían facilidad y rapidez.

Ahora contaba con los concursos de baile. El vencedor podía recibir en algunos una copa por la que los mismos organizadores daban cinco dólares, y al grupo se puso a ensayar en casa de Tony, que era quien tenía radio. Hicieron la distribución del estilo con el que cada uno competiría, teniendo en cuenta sus dotes corporales. Así, Willy se dedicaría a la rumba, Sydney al fox-trot, Danny al vals vienés y Tony al tango. Estella, su hermana, haría de pareja para ellos.

Por entonces, su objetivo era convertirse en un gran arquitecto, pero la idea de bailar y bailar no lo dejaba concentrarse. Se habían propuesto recorrer lugares como el salón de Ocean Park, el Moonligth

Dance May en East Los Ángeles o el situado en la esquina de la calle Olive con la Fifth, un salón elegantísimo para el que había que llevar corbata si querías entrar. Y se habían dado un mes de preparación. Después del ensayo general y pese a que Sydney demostró poca gracia en sus pasos, estaban muy entusiasmados, pero aún quedaba una tarea pendiente: los zapatos. No tenían dinero para comprarse cada uno un par que fuera de charol. Lo que sí podían hacer era comprar un par y usarlo todos. En principio no tendría complicación, ya que todos calzaban más o menos del mismo número.

Se estrenaron en el Moonligth Dance Hall, dándose cuenta con ello de que las parejas improvisadas no eran fáciles de llevar. Tony acabó con una antigua compañera de escuela, cuyo acné no le hacía ningún favor a su cara.

Sydney inició el concurso. Cuando quedaban cuatro parejas compitiendo, él y su chica fueron eliminados.

Willy tomó el relevo, intercambió los zapatos y quedó tercero.

Comenzó la música para Tony y su pareja. La chica le admitió que quería bailar con él, pero que no era capaz de bailar el tango, y salió corriendo. Desesperado, tomó a la primera mujer del público que tenía a su alcance y al colocarse bajo las luces observó que era una anciana. Fueron de los primeros eliminados.

Esa noche cenaron opíparamente en un restaurante barato porque Danny sí tuvo suerte.

Le tocaba el turno al salón del Santa Mónica Pier, donde una noche Tony vio a una mujer alta y esbelta que resultaría ideal para que le acompañara. Como no tenía experiencia en abordar jóvenes elegantes, le echó una mano Danny. Ella aceptó y sugirió que ensayaran antes de enfrentarse al concurso. Se les daba muy bien, ella le seguía maravillosamente y les dieron la copa de oro. A continuación la llevaron a su casa en la camioneta del padre de Sydney. Tony la acompañó hasta la puerta y ella le invitó a pasar por un último trago y la camioneta se alejó, no sin dejar de gastarle sus ocupantes las correspondientes bromas obscenas.

El apartamento era lujosísimo y ella se cambió en seguida para ponerse una bata transparente. Él tenía dieciséis años, no demasiado pelo y ninguna experiencia sexual, por lo que los extraños gruñidos y movimientos no le indicaban que ella pudiera estar disfrutando. Nada de eso tenía relación con el amor, así que se levantó, se vistió y salió corriendo en dirección a su casa, donde su abuela le esperaba, ya furiosa. No podía llegar más tarde de las once y ya eran sobre las dos de la madrugada. Aunque no fue tanto la hora como el aliento a licor lo que provocó las bofetadas que le llovieron. Hasta que vio sus calzoncillos, aún mojados.

Él negaba haber estado con una mujer. Ella comenzó a pegarle con un zapato que se quitó y ante el miedo de que pudiera haber contraído alguna enfermedad lo llevó al médico y le obligó a mostrarle el miembro diariamente para comprobar que no se le estuviera pudriendo.

Nueve días. En nueve días saldría el pus, aventuraba su abuela. Él vivió aterrado todo ese tiempo.

Para sus amigos era un héroe. El que a lo mejor fuera a tener gonorrea era algo tan «de hombres» que exigía hasta los mínimos detalles a la hora de contarlo todo.

Diez días después, ya con la seguridad de que nada le pasaba, fue a ver a la joven a su casa. Él confesó su edad y ella le presentó a su novio. Tony entonces salió de allí corriendo. Lloró por el camino. El cuerpo de esa joven le obsesionó hasta que encontró a Sylvia.

Continuó trabajando y compaginando diversas actividades, ya que una sola no le reportaba suficiente dinero. Había comenzado, junto a Frank, a mantener limpias y enceradas un par de salas de exhibición de automóviles y algunos despachos. De este modo ganaba cincuenta centavos por hora. Eso lo juntaba con el par de dólares que ganaba cada vez que boxeaba, ciertamente no muy a menudo: dieciséis peleas en dos años. Su madre también aportaba un poco, no lo suficiente, pero por poco que fuera a Tony, que deseaba ser el único en mantener su casa, le parecía demasiado. No quería pertenecer a su madre, su madre pertenecía únicamente a Frank.

En ese tiempo la arquitectura comenzaba a ser un sueño que se escapaba. No tenía mucho tiempo para ir a la Escuela Politécnica y además no le gustaba demasiado que el profesor, un tal Baker, le hubiera tenido manía y que, aparte, limitara sus clases a un mero mecanicismo en el dibujo que no dejaba sitio alguno para la creación. Todo debía responder a unas medidas: las puertas, las ventanas. Pero para Tony cada cosa debía responder a las medidas de las aspiraciones del creador, y no estaba dispuesto a ser un sujeto alienado y encorvado sobre un tablero delineante. No estaba dispuesto a ser un mediocre.

Fue a hablar con Frank Lloyd Wrigth. Le visitó con una carpeta llena de dibujos bajo el brazo. Cuando llegó le dijeron que estaba demasiado ocupado y le vio entrar en el despacho justo al momento de irse. Era un hombre guapo, erguido y con ojos expresivos, que le preguntó qué hacía allí. «Quisiera llegar a ser un arquitecto como usted algún día», fue la respuesta que obtuvo. Wright, a su vez, le dijo que esperaba que fuese mejor que él. «No me gusta encontrarme con alguien que no piense que es mejor que yo, me sirve para mantenerme despierto y alerta.» Y le hizo un gesto para que le siguiera a su oficina. Examinó sus dibujos, unos cielos irreales en gradaciones de azul que Tony pintaba en las clases por obligación.

Frank le preguntó la razón por la cual quería ser arquitecto. «Porque la gente no vive como debiera», respondió Tony. «¿Qué pasa con tu pronunciación, niño?», le preguntó con afecto. «Nada.» «Sí, algo tienes.» Le examinó la boca y le aconsejó que se operara el frenillo: «Constantemente te encontrarás con gente e influirás en sus vidas. Tienes que ser capaz de transmitir tus ideas y tu filosofía. No te van a escuchar si tus palabras no son directas y terminantes.»

Él culpaba al nerviosismo. Había tenido algún tartamudeo ocasional debido a que su mente era más rápida que sus palabras y tal efecto suponía una manera de detenerlos. Wrigth le invitó entonces a volver una vez hubiera visitado a algún especialista que le enseñara a hablar.

Tal descubrimiento fue una idea que le volvió loco durante el año que lo mantuvo en secreto. Tras ese tiempo, una noche, borracho, se lo confesaría a Sylvia, la mujer de la que se enamoraría.

Una chica de la Politécnica le había invitado a una fiesta. Era algo nuevo para él y su nerviosismo iba tanto en aumento como en descenso su confianza. Al llegar nadie pareció enterarse, pero él siguió con su sonrisa ensayada fingiendo que buscaba a alguien. Vio una puerta y hacia allá dirigió sus pasos, pero era un patio sin salida, así que se sentó en una silla. Al poco apareció una joven, que le ofreció un vaso de ponche, se presentó como Evie y se sentó a su lado. Era una pelirroja de pelo muy corto con la que comenzó a hablar y que en seguida le pidió que la llevara a casa porque le aburría la fiesta. Tony la acompañó por la colina hasta el lugar donde ella vivía, y al abrir la puerta vio a una Evie mejorada lanzando al fuego de la chimenea asientos de váter desechados. Ella le presentó a Sylvia, su madre.

Le ofreció un trago que él aceptó, porque no le parecía bien no hacerlo. Tras un arranque algo incómodo por la pregunta de la nacionalidad del muchacho, llegaron más chicos, entre los que se encontraban Joan, Bert y Jenny, hermanos de Evie. Se sentaron junto al fuego y comenzaron las lecturas de Walt Whitman o Rupert Brooke. El nivel iba aumentando y Tony se sentía cada vez más intruso. Sirvieron la cena y escuchó comentarios no muy agradables sobre él provenientes de la cocina. Evie decidió entonces disponer sus platos en otra mesa pequeña.

Poco después la casa se vació y sólo quedaron los tres que estaban al principio, Evie, su madre y él, que también quería marcharse, pero Sylvia le persuadió y le ofreció algo de beber. El whisky se le subió rápidamente y perdió el control: comenzó a quejarse de que el no haber leído tantos libros no implicaba que en el fondo de sí mismo no hubiera un montón de cosas.

Sylvia y Evie le acompañaron a la estación de vuelta a su casa y la primera le pidió que volviera al día siguiente, domingo, para iniciarle en maravillosas lecturas. Después de dar una vuelta por el parque, lleno de vergüenza por lo ocurrido el día anterior, se presentó en casa de Evie, a la que entró pidiendo disculpas. Pero Evie no estaba y su madre le invitó a quedarse a esperarla. Se sentó en un sofá en el momento en que caía en la cuenta de que en realidad prefería ver a la madre y de que era por Sylvia por quien había ido a la casa, por lo que su nerviosismo empezó a manifestarse con claridad. Afortunadamente, no así sus pensamientos.

Ella le propuso la lectura de un filósofo llamado Santayana, le acercó algunos libros de un estante, pero la iniciativa no tuvo mucho éxito; le resultó demasiado teórico. Cambiaron a Schopenhauer y en ese caso hubo pleno acierto. Sus ideas conectaron con su vida y su línea de pensamiento.

Sylvia, al ver el resultado, le propuso algo. Consistía en vivir un mes según los principios que propugnaban los autores que iba descubriendo, si tal cosa era posible. Leyó, leyó y siguió leyendo, de la mañana a la noche. Había descubierto un mundo nuevo con infinitas posibilidades y quería aprovecharlo al máximo. A Schopenhauer le siguió Nietzsche y a éste Thoreau, Emerson, Balzac, Dante, Hemingway, Scott Fitzgerald...

Con los cuadros también el planteamiento era el de un juego, según el cual debía asociar el pintor a la imagen de la postal. Y a esas actividades añadía el reconocimiento del genio compositor de tal o cual pieza clásica.

La situación en la que se encontraba era extraña. Sus «visitas a Evie» se producían cuando ella estaba en la escuela y durante las horas en que el padre, un hombre del que hacía años que Sylvia había dejado de estar enamorada, pero junto al cual aguantaba por los niños, trabajaba. Cierto día, después de un paseo por las colinas de Hollywood, ambos se sentaron a contemplar la vista. La pregunta salió sola: «¿Estás enamorado de Evie?» Para que ella no le considerara un degenerado respondió afirmativamente. No estaba mintiendo, en cualquier caso, pero no respondió con sinceridad a la clase de amor que le preguntaban que si sentía.

Después, Evie y él se comprometieron. Ella dejó la escuela, él ya la había dejado, y aun así tuvo menos tiempo para estar con Sylvia, quien se dedicaba con gran intensidad a acercarlos. Sugirió incluso que comprobaran si como pareja llegarían a funcionar en el más íntimo campo.

Tony eligió para descubrirlo la habitación de un hotel de mala muerte en Los Ángeles. Evie le entregó su virginidad, pero Tony sabía que no era a ella a quien realmente deseaba y su sentimiento de culpa le hizo llorar.

La relación fue bien durante un tiempo y además él le llevaba a Sylvia parte del dinero que ganaba trabajando junto a Frank. Quien no aprobaba esa situación era el marido de Sylvia. Un día, estando en la puerta con Evie, oyó que le llamaba mexicano asqueroso. Tony se levantó, pero optó por irse a su casa y decirle a la chica que la llamaría. Evie entró, defendió a Tony y ambas le siguieron. Sylvia le convenció para que se enfrentara a él y de paso a la gente como él. Se lo debía a sí mismo. Volvió y se sentó frente a él al tiempo que madre e hija le preparaban algo de comer. Luego todos se sentaron. Ni una palabra se dijo y, una vez terminaron, Tony se levantó y se fue.

En el verano de 1934, ya con Roosevelt en el poder, Sylvia llevó a los jóvenes y a Tony a la playa del Rey. Cuatro kilómetros con chozas de mala muerte que eran conocidas como «ciudades Hoover», por el antecesor en el Gobierno norteamericano. Fue un verano maravilloso, donde predominaba el ambiente de picnic y el espíritu comunitario.

Una noche, con la mayoría de la gente ya en sus chozas, Sylvia y él comenzaron a hablar frente al fuego. El verano acababa y deberían, entonces, volver a la ciudad, y Tony además debía pensar en lo que sería su vida, en lo que iba a hacer con ella. Se tendieron para ver el firmamento, ella alcanzó una cobija para cubrirles y él le hizo el amor. Al acabar ella se puso a llorar, se levantó y entró en la choza.

Al volver a Los Ángeles él se mudó a un departamento cercano. Y aun así, aun habiéndose enterado Evie de lo ocurrido, siguió acostándose con ella. Sylvia era lo que necesitaba su corazón, pero también dependía de la inocencia de Evie, de ser el número uno para ella.

La situación no podía durar y tuvo que confesarle a la joven lo que sentía por su madre. Evie no tardó en empezar a salir con otro.

Sylvia, por su parte, se dedicaba a cuidar a Tony, le hacía la limpieza al acabar en su casa. Su relación creció mientras él volvía a estudiar y trabajar. Incluso le habló de matrimonio. Quería tenerla a su lado las veinticuatro horas del día, ser el primero en todo para ella. No soportaba la idea de que otros hombres hubieran estado con ella, ni siquiera que otros, que nada habían tenido que ver con su vida, se llamaran igual.

Ella pidió el divorcio y al obtenerlo fueron al Ayuntamiento de Santa Mónica a pedir la licencia matrimonial. Después fueron a hacer un análisis de sangre, y al rellenar el dato de su edad no ocultó la verdadera, veinte años. Siendo menor, necesitaba el consentimiento de los padres. Sylvia se enojó y salió de allí. Él la siguió y fueron a casa de Tony. Ella lloró porque todo aquello era una locura: tenía dieciocho años más que él y lo veía imposible, pese a que estuvieron a punto, pese a que la madre y la abuela de Tony lo aprobaban, porque sabían lo que él sentía por ella y lo que ella le había aportado. Pero no era posible. Se metió en el baño, borró las lágrimas y se marchó de la casa. A partir de entonces tendría que descubrir el mundo solo.

Y aunque su relación continuó, ella seguía manteniendo su postura. Entre bromas referidas al necesario permiso maternal, pero la mantenía.

Visitó de nuevo a Frank Lloyd Wrigth, en su mismo despacho desordenado, con unos planos para un supermercado que había empezado a diseñar hacía tiempo y que Sylvia le había hecho repetir. Pero ni tocó la carpeta donde los transportaba. En cambio le puso una prueba para el frenillo que Quinn no fue capaz de superar. No le había hecho caso y el trabalenguas cumplió su función y le delató.

A continuación Wrigth detuvo a Tony antes de que pudiera abrir la carpeta. Le pidió que dejara allí los dibujos y que volviera cuando un especialista hubiera logrado eliminar las dificultades para articular.

Tony pagó los tres dólares de la consulta y necesitaba ciento cincuenta más para la operación que, sin duda, hacía falta. Pero no tenía el resto y a saber cuándo lo reuniría, así que dio largas a un posible día de vuelta. El médico fue comprensivo y, tras averiguar la importancia que tendría para Tony la operación, le permitió que pagara cuando pudiera.

Una vez realizada, ni podía hablar ni podía controlar la lengua.

En las páginas amarillas vio el anuncio de una escuela de teatro que especificaba «elocución y pronunciación», y allí se dirigió. Se encontraba en la esquina de Chaunenga con Hollywood Boulevard y la llevaba Catherine Hamil, una actriz retirada, que le informó de que cada lección le costaría cinco dólares. Él propuso pagar limpiando la evidente suciedad que invadía el local y se le aceptó. Empezaron al día siguiente con varios trabalenguas que debía pronunciar con un corcho en la boca. Pronto se superó ese obstáculo y se pasó al estudio de Shakespeare. La señora Hamil le preguntó que si había pensado en convertirse en actor. En su respuesta no incluyó la vez en que no pudo hacer de cachorro de oso ni las imitaciones de Bing Crosby, Louis Amstrong o Maurice Chevalier, que hacía en algunas fiestas y por las que le pagaban dos dólares por noche. Lo que respondió fue, simplemente, que no, que sólo quería pronunciar bien.

Pero una noche, recitando, oyó que alguien aplaudía a su espalda. Era Max Pollock, el director. También daba lecciones sobre el método Stanislavski, en las que Tony había observado, asistiendo en la última fila, que sólo uno de los alumnos de la clase no estaba perdiendo el tiempo. La señora Hamil, encantada con la confirmación de su olfato, le ofreció sustituir en *Hay Fever*, de Noel Coward, al joven que interpretaba a Simón y que padecía fiebre real.

Lo que Tony pudiera tener en común con su personaje, un tipo inglés, no estaba al alcance de su imaginación, pero trabajó duro y le echó valor para no defraudar a los agentes, productores de Hollywood y críticos de revistas especializadas que solían asistir a las obras de la Escuela. Y para no defraudar tampoco a Sylvia, que fue a verle y a la salida, de camino a casa, le aseguró que había encontrado su vocación.

Ahora sí le gustaba convertirse en actor, pero no tenía dinero, aunque seguía yendo a la Escuela. Pollock le ofreció participar en *En los bajos fondos*, de Gorki. La crítica volvió a ponerse a su favor.

Entonces entró en los Getaway Players y fue entonces cuando tuvo lugar la anécdota del actor que se le insinuó. A Sylvia no le impresionó. Es más, le aconsejó que no tuviera prejuicios contra nadie, que intentara comprender a todo el mundo, y que tales cosas pasaban en todos los ámbitos de las artes.

Un día se encontró con un joven con el que había coincidido en la obra de Gorki, Feodor Chaliapin, hijo del famoso bajo. Tony le contó que buscaba trabajo y Feodor le informó de un casting para latinos en la nueva obra que Mae West producía, «Clean beds». Él se sumó a la cola.

Cuando llegó su turno ante el empresario y marido de la actriz, ella, que no estaba lejos, lo vio y le pidió que se le acercara. Le preguntó qué hacía y a la respuesta de «estoy tratando de convertirme en actor» ella replicó que era demasiado joven, que en un par de años lo contrataría.

Algo tan trivial se había tornado casi milagroso: Mae West le había hablado. No lo había hecho con nadie, los despachaba con un gesto, tanto afirmativo como negativo, y eso no tenía precedentes.

En la puerta del teatro también se daban papeles para la obra, así que se detuvo. Había un escenario donde diversos aspirantes imitaban a John Barrymore. La razón era que la obra había sido escrita para él, pero, debido a que pasaba mucho tiempo con su última esposa y a que en el texto se presumía que terminaría su vida borracho en una pensión de mala muerte, desechó el proyecto y se lo enviaron a Fredric March.

El ayudante de dirección que le había contado la historia le llamó loco por querer hacer una prueba como los demás. Barrymore, además, era su ídolo. Con más escepticismo que otra cosa, le permitieron leerlo. Casi se lo sabía ya de memoria, pero mantuvo el guión en la mano y comenzó a leerlo. Entonces escuchó aplausos y vio que venían de Mae West. Eres muy bueno, le dijo, y le exigió al director que le diera el papel.

El personaje tenía sesenta y cinco años, y pese a que había mentido y afirmado que tenía veintidós, el maquillaje tendría que hacer su trabajo, pero tenía que maquillarse él y no sabía cómo. Según el director, Tony daba perfectamente la voz y los andares de Barrymore, pero la parte de la caracterización física suponía una empinada cuesta que no sabía cómo subir.

Llamó a Feodor y éste le dijo que la noche del estreno iría acompañado de un amigo que le ayudaría. Ese día llegó al teatro tres horas antes del inicio de la representación y se puso a examinar fotos del legendario actor. Nunca conseguiría ningún parecido físico con él. Media hora antes del estreno Feodor apareció con Akim Tamiroff, un gran actor y mejor maquillador. Se asustó ante el reto que se le presentaba, pero cumplió y transformó su rostro de un modo bastante convincente.

Logró muchos aplausos y Mae West fue una de las que entró en el camerino para felicitarle. Otro fue John Barrymore. Había ido a ver la obra y al acabar golpeó su puerta y entró. La sensación que le produjo a Tony fue algo incomparable. Pero también sus palabras le emocionaron: «Eres un carajo, una mierda. Estuviste estupendo ahí fuera.» Y le preguntó su edad. Se había quitado la nariz y John exclamó que era sólo un muchacho. Eso no importaba, había muchos que le imitaban, pero sentenció que él lo hacía bien y le dio su dirección.

Una semana más tarde fue a ver la obra de nuevo. Comprobó que el chico era realmente bueno, que su primera actuación no había sido fruto de un do de pecho debido a los nervios, y le preguntó que por qué no había ido a verlo. ¿No lo había dicho por cortesía? «Nunca digo nada por cortesía», afirmó Barrymore, y le invitó a comer con él al día siguiente.

Acudió. Fue en tranvía y en autobús con parte de los diez dólares que ganaba semanalmente. Debían pagarle veinte por su papel, pero Mae se los disminuía en base a que Tony debía pagarle a ella por tamaña oportunidad.

John vivía en Tower Road y Tony completó el camino andando. Al llegar, encontró que la puerta estaba cerrada y el portero le informó que el señor Barrymore no recibía nunca a nadie. Se dio por vencido y empezó su retirada, pero el astro le llamó desde la verja y le hizo pasar a su enorme casa. Lo primero que vio fue una armadura y John no tardó en explicarle que se diseñó para que la utilizara en *Ricardo III*.

Le llevó a una habitación de unos dos metros y medio por tres que daba al salón. Era su favorito, el que le recordaba los camarotes en los que vivió viajando por el país. En las paredes, varias fotografías. Compartió con John la petición de tomar un vermut, cuando Tony ni bebía ni le gustaba la elección, y Barrymore tenía prohibido el alcohol.

En seguida se encontró relatándole su vida al anfitrión, quien también conocía a Aimeé Semple McPherson y opinaba de ella que era una gran actriz, que pocas, ninguna de hecho, había iluminado la escena del mismo modo. Salvo, tal vez, su hermana Ethel.

Le aconsejó que aprendiera dicción en Inglaterra, algo que él lamentaba no haber hecho, aunque sí trabajó para pulir su nasal acento neoyorquino a partir de los treinta, cuando le fue propuesto interpretar a Shakespeare con *Hamlet* y *Ricardo III*. Y es que insistía muchísimo en que la voz era lo más importante del mundo para un actor.

Él había dado la primera clase de mala gana. Su profesora estaba casada con uno de los grandes escenógrafos de teatro. Inició su clase diciéndole que tomara una fruta, después que la describiera, y no se sintió satisfecha hasta que John creó todo un mundo de palabras y sensaciones generadas por ella. En resumen, le enseñó a amar las palabras.

A continuación le dio una valiosa lección para ser actor: leer «Two Strangers from Alabama», de Walt Whitman, un poema sobre dos pájaros que llegan a Alabama en primavera a construir su nido. El macho sale un día en busca de comida y nunca vuelve. Y la hembra nunca lo encuentra.

Barrymore, con lágrimas en los ojos al igual que Quinn, le dijo que si era capaz de recitarlo mientras estaba en el baño y perderse en sus bellas palabras olvidándose de los deberes que impone el cuerpo en el baño, es porque no cabía duda de que era un actor.

Después llamó su última esposa y eso le dio pie para hablarle de los matrimonios por los que había pasado. A Tony le pareció que por Dolores Costello había sentido algo auténtico, pero ella le había dejado para casarse con su ginecólogo. Y además también nombró a una hija, Diana.

Le hacía sentirse bien, cómodo, como en su propia casa. Eso no pasaba con todos, sólo con los que le caían bien, y Tony parecía estar en ese grupo de gente, en ese grupo de hombres a los que cariñosamente llamaba «mierdas» o «cara de caca». Si no le caías bien, sencillamente te cerraba la puerta. Igual de hospitalario o no, según, que otras tres mujeres que Tony conoció a lo largo de su vida. Bueno, a una ya la conocía, era Aimeé, las otras serían Greta Garbo y Katharine Hepburn.

En medio de ese ambiente de distensión le insistió en que debía ir a tomar clases de dicción a Inglaterra. Le contó que «maravilloso», «filantrópico», «expectoración» y «escatológico» eran sus palabras preferidas. Las entonó de una forma fabulosa y afirmó que su hermano Lionel utilizaba las palabras haciéndolas sufrir, y que tanto Roosevelt como Churchill las usaban tan bien que parecían preferir hacerle el amor a ellas, antes que a una mujer.

Pasó a preguntarle por lo que había leído. Al relatar Tony la lista casi completa, a Barrymore le intrigó la razón por la que no había incluido a Shakespeare. «Me asusta», respondió Tony, «nunca podré interpretarlo.» John le quitó el miedo del cuerpo. Le instó a hacer «Otelo», que no era inglés sino árabe, moro y musulmán.

Entonces llamó su mujer y John dio por finalizada la charla. Le dijo que le invitaría a cenar, pero que estaba casado con una mujer joven que probablemente querría acostarse con Tony de inmediato.

Le preguntó que si tenía cómo llegar a casa, pero Tony no quiso responderle que no necesitaba coche porque su encuentro le había dado alas.

Siguió actuando en *Clean beds* y teniendo problemas económicos con Mae West. Esperaba firmar un contrato de siete años con la compañía y ganar veinticinco dólares a la semana, pero ella no lo aceptó. Lo que sí hizo fue invitarle a verla en el gran hotel en que vivía en Hollywood. En realidad es que era suyo, lo compró un día en que el dueño del hotel no la dejó entrar porque por un lado llevaba un tigre en una mano y por otro iba acompañada de un hombre negro. No dudó un instante en comprarlo para poder así subir con sus dos compañías.

En el piso superior, en concreto. Ella misma le abrió la puerta. Deslumbraba vestida de blanco y con la rubia melena suelta. La habitación hacía juego con su vestido. Le sirvió un trago y le contó que se había comprado el hotel cuando a un amigo suyo, que era negro, Tigre Jones, le negaron la entrada.

Después de cenar le ofreció un papel y le dijo que le haría una prueba en su dormitorio, donde tenía el guión, esa noche, porque tenía la intención de llevarle a Nueva York con ella. Eso, a los veintiún años, no es que te dé mucha seguridad, y Tony no la tenía.

Con algunas luces de la habitación apagadas, ella escenificó la parte femenina del texto; una mujer que se empieza a desnudar en su postura recostada en la cama y que se cubre de nuevo cuando entra por la ventana el hombre que lleva tiempo persiguiéndola. Él se acerca y ella no huye ni se resiste; todo lo contrario, ella lo desea y él está cada vez más cerca.

La escena era preciosa, así lo pensaba Tony. Entonces ella salió de situación y le pidió que le diera una caja que contenía chicles. Tony había fracasado. Mae se pensaría muy seriamente darle el papel.

Y lo cierto era que las dudas ante la falta de papeles que le ofrecían iban en aumento. Aparte de la velada que le dedicó John Barrymore, sólo tenía el apoyo más que incondicional de su abuela, quien, ya muy enferma, no dejaba de asegurarle que sería grande.

Entonces le llamaron de los Estudios Universal porque un director, de apellido Friedlander, Louis Friedlander, conocido y acreditado como Lew Landers, le quería para *Parole!*.

Para entonces él ya había debutado en el cine. Fue en ese mismo año, 1936, y la película se llamó *The milky way*. La protagonizó Harold Lloyd y Tony en ella era un extra que trabajó un solo día y recibió por ello tres dólares y veinticinco centavos.

Parole! era una obra que en teatro interpretaba David O'Brien. El consejo que David le dio a Tony a la hora de dar el salto al cine consistió en que mantuviera los ojos en movimiento.

Se presentó en la oficina del director con la mejor ropa que tenía pero en el filme él sería un gángster y habría de aportar su propio traje. A punto de ser descartado debido a la imposibilidad de que ninguno del estudio le sirviera, el director lo pensó mejor. Le había visto en «Clean beds» y le quería a él, así que le cambiarían el papel para filmar una escena esa misma tarde. Ahora sería un prisionero y le darían un traje en guardarropía. Su intervención consistía en ser uno de los que asistía a un espectáculo. Se divertía, reía y moría tras recibir una puñalada en la espalda. Cuarenta y cinco segundos en total era la duración de la escena, y por ello recibió setenta y cinco dólares.

Unos tres meses más tarde tuvo lugar el preestreno. Su abuela se empeño en ir, aun con la malísima salud que la invadía, pero quería comprobar si su nieto sería un astro del cine, no podía morir sin saberlo.

Tony la llevó en brazos al asiento y le apretó la mano cuando llegó su plano. Un primer plano que el director había tenido la gentileza de ofrecerle. Eso era todo. Quería irse, se sentía fatal teniendo a todo el equipo en la sala y estando él con su abuela tan enferma y habiendo viajado hasta el extremo de la ciudad para ver tan poquito, pero su abuela no se movió. Quería ver cómo encajaba Tony en el conjunto global.

Una vez terminada la película y encendidas las luces, todos le iban felicitando. Incluso Jimmy Starr, del que un solo comentario bastaba para darle el éxito a un filme, o para hundirlo en el fracaso.

Tony pensó que le estaban tomando el pelo; no podía ser, con una intervención tan corta. Ya en casa, su abuela le dijo a Sylvia que Tony tenía una gran carrera. Él no pudo convencerla de lo contrario y para demostrarlo esperaría a las críticas de *Variety* y *Hollywood Reporter*.

Al día siguiente se leyó en cada una de las revistas. Las dos críticas hablaban favorablemente de él, de un joven actor del que no se sabía el nombre; uno de los críticos incluso llamó al estudio para averiguarlo, pero sí que tenía un gran futuro por delante.

Su abuela dijo entonces que podía morirse en paz. A las dos semanas murió. Y al igual que sucedió con la de su padre, Tony no aceptó esa muerte. No aceptaba la muerte de la gente que amaba. «Mientras se les recuerda no están muertos», decía.

Aunque parecía que su vocación estaba ya definida, Tony no lo veía muy claro. Su filmografía no pasaba de incluir un par de papelitos no acreditados en películas de gángsters, como *Sworn Enemy* o *Night Waitress*, así que decidió marcharse a dar una vuelta por el país, en tren, a reflexionar, y lo hizo acompañado del hijo mayor de Sylvia, Bert, que era como el hermano pequeño que siempre quiso tener.

En la maleta llevaba un ejemplar de la Biblia, el «Tramping through life», de Larry Kemp, o el manual del vagabundo, y las críticas obtenidas por sus interpretaciones.

Su intención primera y secreta era llegar a Nueva York, la cuna del teatro, pero se detuvieron en un pequeño pueblo de Texas. Ante la advertencia de un negro vagabundo que no les aconsejó quedarse allí al ser mexicanos, optaron por las afueras, donde encontraron una granja y decidieron pedir trabajo allí. Bert, rubio y alto, fue el encargado de efectuar la negociación con la mujer que le abrió la puerta. Tony se quedó bajo un árbol. La mujer, de unos treinta y cinco años, no parecía necesitar mucha ayuda para valerse y cuando al fin se acercó Tony puso mala cara, pero les admitió. Se ofrecieron para cortar leña y hacer todo aquello que no incluyera montar a caballo, una actividad que no sabían desempeñar, y ella les ofreció un cuarto en el granero con baño privado, tres comidas diarias y veinte dólares al mes para los dos.

Durante la cena les contó que su marido había muerto y le había dejado la granja, que era muy difícil de sacar adelante, pero que la podía mantener criando algunas cabezas de ganado, árboles frutales y una plantación de hortalizas.

Al acabar y levantarse de la mesa, Tony obtuvo permiso para hojear los libros de su maravillosa biblioteca. Cientos de ejemplares que a la dueña le hubiera encantado poder leer, pero para lo cual no tenía tiempo.

La semana siguiente fue de mucho trabajo, y un día en que la señora tenía que hacer compras en el pueblo, pero odiaba conducir de noche, se llevó a Tony de acompañante. Lo que compró no fue muy abundante, básicamente se limitó a la farmacia, pero entre todos los productos con los que se hizo había artículos del baño y el aseo personal de Tony, acompañados por el consejo de acercarse a una peluquería a cortarse el pelo, intromisión que no le hizo a Tony ninguna gracia.

Al volver y ponerse a leer en la biblioteca ella entró y le pidió que le hiciera compañía, que no le importaba que al día siguiente trabajara menos horas y se levantara más tarde. Tony aceptó a regañadientes, pero le siguió el juego, un juego consistente en leerle en el sofá, donde se había sentado con un salto de cama, un juego en el que la mujer no participaba desde la muerte de su marido. Del sofá pasaron a la cama, donde después de hacer el amor, ella le confesó que al sentirse atraída por él, quiso decirle que se marchara en el viaje al pueblo, pero que luego lo pensó y cayó en la cuenta de que no era una persona normal y esperaba que llegara a tenerle afecto. Añadió que pensaba vender la casa e irse a Nueva York y que podrían ir los dos.

Los planes quedaron ahí por el momento y cuando llegó el día de la paga la mujer les dio sus sobres. Contenía bastante más de lo acordado: en el de Bert había quince dólares; en el de Tony, cien.

Después de convencerla de que le diera sólo la cantidad estipulada, ni un dólar más por haber sido contratado como peón, la invitó a cenar. Se puso un traje de su difunto marido que ella le había regalado y juntos fueron al mejor restaurante posible, al Club de Campo, donde muchos daban muestras de conocer a Tony, volviéndose a mirarlos.

Una vez terminada la cena, se pusieron a bailar siguiendo a la orquesta, una rumba lenta que todos aplaudieron cuando acabó.

De vuelta a casa surgió de nuevo el tema de trasladarse a Nueva York. Por mucho que Tony siguiera buscando su vocación, era evidente que no terminaría siendo jardinero. Y una noche, ya convencido de que tenía que hacer algo con su vida, de que debía marcharse y realizarse de alguna manera que desconocía, pero que tenía que averiguar, se lo planteó a la mujer, que no lo tomó demasiado bien: primero le acusó de haberla utilizado y luego se fue al otro extremo, pidiéndole que la usara como se le antojara. Todo, con tal de retenerlo.

Pero se marchaban. En dos días, una vez hubieran terminado de construir una casita para los animales que ella criaba. Entonces ella le pidió que le devolviera todo lo que le había dado, la ropa de su marido, los libros y lo que hubiera robado, y añadió que no debía haber confiado en un mexicano.

Tony se indignó: había estado bien cuando ella se acostaba con él, pero ahora la situación no la favorecía y le atacaba de forma rastrera. Ella se dio la vuelta y se marchó. Bert sugirió que se fueran, que esa situación no traería nada bueno, pero Tony no lo creyó. Hasta que aparecieron los policías empuñando armas y preguntando quién de los dos debía devolver el dinero robado. Tony se defendió. Él sólo había pedido lo necesario para la casa. El oficial le llamó «grasiento asqueroso» cuando le mandó callar; luego a los dos, «hijos de puta», y añadió que no se podía confiar en ninguno.

Los llevó a la cárcel.

Estaba llena de alcohólicos y vagos a los que les venía muy bien que les dieran tres comidas al día. Y olía a meados y a vómitos.

Al día siguiente les hicieron presentarse ante la autoridad. Negó el cargo del que se le acusaba y trató de explicarse de la forma más convincente posible ante las preguntas sobre su origen y destino que le iban siendo formuladas. Para ello acudió a las críticas que había llevado en el viaje.

Le mandaron de vuelta a la celda y, como había dicho que no conocía a nadie en el pueblo, interrogaron exhaustivamente a su patrona, quien se echó a llorar al asegurársele que si mantenía su versión Tony sería condenado a dos años. Pidió verlo, y al tenerlo delante se puso a llorar de nuevo, excusándose por haberlo arruinado todo. Le confesó que pensó incluso en convencerle de que se quedara con él si lo tenía en la cárcel, pero se daba cuenta ahora de que todo era una locura y le aseguró que no iba a mantener su acusación.

Cuando le dejaron salir le ocurrió lo mismo que a los demás presos que quedaban en libertad: le apedrearon para que supiera que ya no era aceptado. Una piedra le acertó en la cabeza, pero él siguió corriendo para que no le vieran caer, ya que sabía que era lo que más querían.

Continuó entonces su viaje. Y llegó hasta Ensenada, México. En un periódico que alguien tiró mientras esperaba conseguir trabajo en un barco pesquero, leyó que Cecil B. De Mille necesitaba indios para interpretar algunas escenas de *The Plainsman* (1936) y esa noche Bert y él hicieron autostop hasta la frontera. Los llevó un camionero al que decidió impresionar cuando le respondió a dónde iban: le dijo que era un actor que volvía a Hollywood para iniciar una película. El camión iba a Tijuana y, al llegar, su conductor le dio una moneda de cincuenta centavos y le pidió que, a través de ella, se acordara de ellos cuando triunfara, cosa que a buen seguro lograría.

Al día siguiente, entre trenes de carga y tranvías para llegar a casa de Sylvia, se afeitó en una gasolinera. Quería estar presentable para hacer la prueba, que se iba a realizar en los Estudios Paramount.

En la oficina de reparto preguntó por Joe Egley y mostró las críticas de nuevo. Añadió que el señor B. De Mille quería verle, con tanta determinación que la chica no se lo discutió. Egley apareció de inmediato. Tony le dijo que era cheyenne y que quería el trabajo. Joe le respondió que le había visto en aquella obra y que no le había parecido tal cosa. «Pero hablo cheyenne con fluidez», argumentó Tony, que no se daba por vencido, y le hizo una demostración.

Egley cogió el teléfono y habló con Cecil. Le aseguró que tenía delante al indio que necesitaban. Yendo hacia el despacho, Joe le aconsejó que fingiera no saber una palabra de inglés, ya que querían un cheyenne auténtico. El engaño funcionó y, después de ser examinado por De Mille minuciosamente, por delante y por detrás, dando una vuelta alrededor de él, lo contrató por setenta y cinco dólares diarios y en realidad se le necesitaría dos o tres días, así que la suma llegaría a los doscientos.

Pero no sabía montar a caballo. En la granja donde se crió no tenían, argumentó, así que le pidió a Egley un préstamo de diez dólares para ir al valle de San Fernando a aprender. Tenía una semana por delante y lo conseguiría. Joe le dio veinticinco y le mandó a vestuario para que le tomaran las medidas. A continuación, con el consejero técnico, alguien no muy versado en lenguaje cheyenne. Aun así a Tony le entró el pánico, que Joe calmó cuando afirmó que si él lo decía, él podía. Por algo era uno de los más grandes directores de casting de Hollywood. Por mucho que Tony dijera que ése era un dialecto que conocía, lo cierto fue que se veía incapaz de aprenderse cinco páginas ininteligibles; pero lo lograría, se convenció de ello.

El consejero técnico le explicó el papel. Se trataba de un joven indio que reúne a las tribus para alzarse en guerra contra el hombre blanco colonizador. Era la primera gran oportunidad para Tony y estaba impaciente. Por la tarde se lo contó a Sylvia y a Evie, que también expresaron su alegría, y se fue con Bert cerca de los Estudios de la Warner, en el valle de San Francisco, a un establo dirigido por un ex boxeador, que les aseguró que Tony no era el único actor con ese problema, pero que con ocho horas de trabajo diario parecería que había estado montando a caballo toda su vida. Les dio dos por el precio de uno y subidos a sus lomos Bert y Tony pasaban horas cabalgando por las colinas. Tony, además, recitaba su texto. No sabía si lo estaba haciendo bien, y cuando se tranquilizaba pensando que no irían muchos cheyennes a ver la película le asediaba la tortura de que fuera a olvidársele el texto. Pero al quinto día de estudio dominaba el texto a la perfección. Años más tarde, y debido a la gran emoción que le invadió, aún recordaba algunas partes.

Joe le llamó para decirle que el lunes le tocaría rodar. Sí, se lo sabía todo y también sabía montar a caballo. A las ocho le esperaban y antes debía pasar por vestuario y maquillaje. Pero quedaba el fin de semana y Sylvia le tranquilizó.

El lunes se levantó a las seis para estar pronto en la Paramount. Le enviaron a una habitación pequeña, que era la destinada a quienes iban a desempeñar idénticos papeles. Antes de pasar a maquillaje vio a Carole Lombard, Gary Cooper, Bing Crosby, Cary Grant o Maurice Chevalier, pero la presencia de tales figuras en lugar de imponerle un respeto sagrado le dio fuerzas para querer demostrar lo que valía.

Wally Westmore, maquillador de Carole Lombard, uno de los mejores y más cotizados, se encargó de aplicarle una pintura de guerra.

Gary Cooper, compañero de reparto, esperaba turno y como nadie les presentó fue él quien se le acercó. Tony le dijo que trabajaba en su misma película y le preguntó por Cecil B. De Mille. Cooper respondió que era un buen tipo, exigente, y que lo único que debía preocuparle era saberse el texto. Pero hubo algo que le preocupó más: le pidió a Gary que no le dijera a De Mille que sabía inglés, y le contó la historia. Cooper rió y prometió no enojarse cuando en el plató Tony no le hablara.

Se fue a su camerino a vestirse y a esperar a que le llamaran. Le llevaron un taparrabo, unos mocasines y una camisa vieja y desgarrada que le desconcertaron. Él era el jefe de los indios y aquello no correspondía con su papel, pero no podría pedir explicaciones para no delatarse.

Ya en el estudio, a De Mille no le gustó la camisa, faltaban jirones y quería que el maquillador le pintara una herida en el hombro. De Mille empezó a perder los nervios cuando vio que Quinn no podía callarse ni hacerse entender. El consejero técnico, Armando, traducía preguntas lógicas que hacían enfurecerles a los tres. Joe Egley se acercó y el ambiente estaba ya muy caldeado cuando un joven mexicano, ayudante de dirección, le preguntó a De Mille por el paradero de los diez mil indios a los que Tony debía arengar. Pero De Mille contestó que en esa escena Tony debía conversar con Gary Cooper.

En realidad, se trataba de informar a Wild Hill Hickock (Cooper) y a Buffalo Bill (James Ellison) de la matanza del general Custer en Little Big Horn.

El pánico se hizo evidente, pero Tony no se dejó impresionar y aseguró que no había problema alguno, que podían ir a ensayar.

En el plató debía subirse a un caballo y mantener al otro cerca mientras llegaba a través del sendero al fuego, punto en el que tendría que bajarse del caballo y momento, este último, en que la toma finalizaría. Pero al ir a montarse descubrió que el animal no tenía montura. Rezó para que todo saliera bien y al subirse comprobó que no era tan difícil. Siguió las instrucciones, pero faltaba un detalle: tenía que cantar una canción.

De Mille se puso histérico. No entendía qué pasaba con ese chico y pidió a gritos que le trajeran otro, pero Gary Cooper intercedió por él cuando apareció para rodar su parte y Cecil le comunicó que debía esperar porque ese actor no les iba a servir. Cooper le dijo a De Mille que era su primera película y que le diera una oportunidad, que lo había visto en la sala de maquillaje y que parecía buena persona. Le convenció y Tony siempre le estaría agradecido por eso, aunque también reconocería años más tarde que su comportamiento durante la caza de brujas no estuvo bien. Pero Cooper era humilde y bondadoso y Tony comprendió que, no sólo no sabía nada de política, sino que además tenía miedo de Mac Carthy y de lo que tuvo que pasar entonces la industria.

Repitieron el ensayo con la orden de que cantara cualquier cosa. Y Tony lo hizo. Se inventó una canción en la que decía lo mismo que el texto del jefe indio acerca de que el hombre blanco no les iba a quitar su dignidad. Así, si De Mille le despedía le habría mandado a la mierda.

Pero De Mille sonrió y después le dijo a Gary que podía que el chico diera resultado. Cooper le guiñó el ojo, pero para entonces muchos se habían dado cuenta ya de que Quinn no era indio, aunque seguían ocultándoselo a De Mille, quien le pidió a Tony que dijera su monólogo y éste lo adaptó a un «si salvas mi vida, quizá yo pueda hacer lo mismo por la tuya, pero no ganas nada con matarme porque sé que al final mi pueblo no será conquistado». Un parlamento que, más que para demostrar que podía hacerlo porque se lo sabía, le servía para descargar su furia contra el trato que De Mille le había estado dando.

Pero gustó. Tuvo la aprobación de Gary Cooper y la complacencia de Cecil. Ahora tenía un rato para volver a componer el personaje mientras se instalaban las luces.

Cuando le llamaron para rodar y salió de su camerino, vio a una joven hablando con Cecil, que por su aspecto podía trabajar también en la película como otra india, pero al mirarla él se dio cuenta de que se trataba de su hija adoptiva, Katherine De Mille, que había aparecido en títulos como *¡Viva Villa!*, y sólo por eso su simpatía hacia ella fue instantánea. Le sonrió pero de inmediato tuvo que volver a la conversación que mantenía con su padre. No importaba: Tony conservaba su imagen mental y, aparte de los fantasmas de su padre y de su abuela rondando por su cabeza, dándole ánimos, tenía a alguien real y presente por quien superarse.

La toma dio comienzo y todo salía bien hasta que le dio por esconderse detrás de un árbol. Inmediatamente sonó la orden de cortar y lo rodearon para preguntarle por qué había hecho eso. No estaba de acuerdo con la escena ni con la forma de rodar de Cecil y quería que se lo tradujeran, lo que suponía una locura porque nadie se atrevía nunca a discutirle nada a De Mille. De hecho, tenían ya a otro actor preparado para sustituirle si no se callaba. No tenía escapatoria, incluso Katherine le envió una sonrisa que significaba que no se resistiera, que lo hiciera como le pedían. O más bien como le gritaban, porque a esas alturas De Mille le llamaba de todo, de forma que se enteraran hasta en el último rincón sin necesidad de un altavoz.

Así que cedió, pero no consiguió que el traductor le transmitiera al director que no estaba de acuerdo con su visión. En su lugar le dijo a De Mille que se había apartado porque el fuego estaba muy caliente, a lo que De Mille contestó que cortaría antes para que no se quemara.

Ésa era la última oportunidad que le daba. Estaba claro. Y Tony se sentía cada vez con más fuerza, porque a medida que se calentaba el ambiente en el estudio, sentía que tenía que dar más, que demostrar más.

Al llegar al fuego le dio por mirar alrededor y escuchar el ruido antes de desmontar, volver a mirar alrededor después de quedarse un segundo junto al fuego y finalmente correr una vez más a esconderse detrás de un árbol.

Por supuesto, los gritos de De Mille dejaron ya de ser humanos. Ni siquiera escuchaba al equipo técnico decirle que el chico había estado sensacional. Sencillamente, quería que le pagaran y se marchara de allí.

Tony, ya sin nada que perder, le habló en inglés. Le dijo que podía meterse por el culo sus malditos setenta y cinco dólares, que no quería el dinero por algo que no era de su agrado, pero que él era actor y sabía lo que estaba haciendo, y esa escena estaba mal planteada.

El silencio sepulcral que siguió al «¿Estoy haciendo qué?» de De Mille fue roto por Tony al explicarle que un indio conoce la diferencia entre un fuego hecho por ellos y otro construido por el hombre blanco. Y si además de pertenecer el de la escena a esta última categoría, el fuego estaba aún vivo, significaba que el enemigo andaba cerca, escondido, y él no se iba a quedar allí para que lo matara.

De Mille le dio la razón y accedió a cambiar la escena.

Después, con las cuatro hojas de monólogo, le bastó una sola toma y recibió muchos aplausos. Hasta Cecil le fue a dar la mano y la enhorabuena. Admitió que había tenido el comienzo más espectacular que había visto en su vida y que lamentaba que le hubieran engañado, pero le hubiera contratado aun sabiendo que no era cheyenne porque valía para el papel. Añadió que le haría una prueba para incluirlo como candidato para una película que preparaba para el año siguiente, y como colofón le pidió a Joe Egley que le pagara los tres días de trabajo que en principio estaban previstos, porque había conseguido rodarlo todo en uno sólo y les había ahorrado tiempo y dinero.

Una vez en el camerino, después de escuchar múltiples alabanzas y felicitaciones, preguntó por la joven, la hija de Cecil, a la que quería agradecer personalmente su gran ayuda. Para su decepción, la joven iba a casarse en unos días en Sudamérica.

Días más tarde le llamó Egley. De Mille quería hablar con él en el estudio. Había visto el material rodado donde Tony aparecía y quería proponerle para un premio especial de la Academia. Creía seriamente que deberían empezar a considerar premiables los debuts. Le había impresionado tanto que le iba a hacer una prueba, sólo fotográfica, un ratito después. Podía ponerse lo que quisiera que hubiera en vestuario, ya que únicamente le había visto de indio.

Añadió que su hija le había ensalzado y que a ella le había parecido que el trato que le había dado aquel día a Tony en el rodaje fue de lo más crudo, pero que ambos debían comprender que no tenía más remedio que trabajar así.

También en vestuario hablaban de él. No había nadie en el estudio que no hubiera visto las tomas ni que desconociera que Cecil

B. De Mille estaba encantado con el resultado obtenido. Le dieron un traje usado por Gary Cooper que le quedaba pequeño. Era eso o nada, pero De Mille lo dio por bueno. La sesión tuvo lugar en un set cuya decoración representaba un granero. No iba a ser más que una entrevista, pero Tony se encontró con que no sabía qué hacer ni cómo moverse frente a la cámara.

Cecil le preguntó su nombre, su lugar de nacimiento y le pidió que representara algo, una escena que hubiera interpretado en teatro, o un poema, lo que fuera, Tony recordó de pronto un pasaje de *Otelo* y lo recitó, no sin mucha convicción, pero los aplausos recibidos y la felicitación del director, que mostró su satisfacción no sólo por el hecho de lo bien que había quedado, sino porque además la pieza no hubiera sido ensayada.

Se marchó de allí, pero ahora le requería Lesser, director del departamento de nuevos talentos. Le ofreció ciento cincuenta dólares a la semana y Tony respondió que lo pensaría. No sabía por qué, ante tal cantidad de dinero, pero eso fue lo que dijo.

Ya se iba del estudio cuando se topó con otra actriz, famosa por no quedarse callada nunca. Era bella y sofisticada, y se llamaba Carole Lombard. También a ella le había llegado la noticia de su enfrentamiento con De Mille y le ofreció un papel en la cinta en la que iba a empezar a trabajar: *Swing high, swing low* (1937). La dirigiría Mitchel Leisen, con el que fue a hablar de inmediato. Sí, sería bueno para interpretar al panameño en el que Carole se fija cuando Fred McMurray la rechaza.

Tenía ya varias ofertas y no sabía qué hacer, pero no andaba bien de dinero porque acababa de pagar la operación de frenillo, y le expuso su problema a Mitchel, quien rápidamente llamó a Frank Tuttle, otro director que también trabajaba en un proyecto. Le dio un papel en un filme con Bing Crosby y la oportunidad de ganar doscientos dólares a la semana, y serían diez en total. Juntaría tres mil dólares con los doscientos diarios que Leisen le había ofrecido por los cinco o seis días que tendría que estar rodando.

El entusiasmo de Joe Egley era evidente, pero en lo que se refería al contrato con el estudio habría que esperar.

Comenzó su trabajo con Carole Lombard, tal como estaba previsto. Él se encontraba un poco perdido, frente a una diosa que tenía a su alcance; no sabía de qué hablarle y en una ocasión, entre toma y toma, se decidió a mostrarle su interés por la cultura, indicándole que en ese momento leía «Tom Jones», de Henry Fielding. Lejos de impresionarse, Lombard le preguntó en qué estudio trabajaba el autor. Tony le aclaró que no se trataba de un guión sino de una novela, que el autor estaba muerto y que además era uno de los favoritos de John Barrymore. Le contó la historia de cómo le conoció y ella apostilló que ese hijo de puta era el mierda más famoso del mundo.

Al acabar la jornada le invitó al camerino y le pidió que la invitara a salir, porque no podía mostrase en público con el actor con el que esperaba casarse cuando obtuviera el divorcio. Tony lo hizo, pero no podía llevarla a ninguna parte, no le habían pagado todavía; así que tendría que ser cuando acabaran la película, pero, aunque a ella no le especificó la razón por la que habría de esperar, no puso inconvenientes.

Ella le protegió durante los tres días que duró su trabajo y todo el equipo estuvo encantado con él. Carole también le felicitó en repetidas ocasiones y le pidió a Mitchel Leisen que repitiera tomas si pensaba que Tony era capaz de mejorar en ellas. Además, todas las noches le invitaba a un trago y le repetía lo segura que estaba de sus posibilidades y del carrerón que tenía por delante.

Quedó en recogerla a las ocho y media. Seguían sin pagarle, pero su trabajo estaba terminado y se dio cuenta de que no tenía qué ponerse para una noche con semejante estrella. Se dedicó, hasta la hora del encuentro, a buscar dinero prestado, pero con seis dólares poco podía hacer y no se presentó a la cita.

Una semana después la Paramount le ofreció *Waikiki wedding* y comenzó a filmarla. En un momento dado, cruzando el patio del estudio, escuchó como ella le insultaba y la acusación de que sólo le interesaba el papel. De inmediato fue a verla a su camerino, ya que parecía que no aceptaba una explicación en público. Su historia la enterneció y admitió una nueva invitación. «Eres el único hombre que me ha plantado y ha salido impune», le aseguró.

No sólo eso, también le ofreció un nuevo papel. Un trabajo estupendo que George Raft rechazaba por no quedar a la sombra de Gary Cooper. La película se titulaba *Souls at sea* (1937), y la iba a dirigir Henry Hathaway. Carole le llamó para comunicarle que ya tenía un actor para ese papel y poco más tarde le estaba estrechando la mano a Quinn.

Hathaway llamó al agente de Gary Cooper y no sólo él, también Cooper, presente en ese momento con él en el despacho, dieron el visto bueno para que Tony hiciera la prueba. Se haría al día siguiente. Entre tanto, tuvo tiempo de llevarse el guión a casa y leerlo. Su papel era magnífico y además se sentía muy cercano a las cinco páginas que componían su prueba, porque debía expresarle su afecto a Cooper, un afecto que, después de la ayuda prestada en el rodaje de *The plainsman*, era especialmente sincero.

Carole Lombard le esperaba a la salida. Apareció con Hathaway, quien le dijo a Lombard que el papel era suyo.

Ya en el camerino, Carole le invitó a un trago y a que luchara por que se hiciera con lo que le correspondía a una futura gran estrella, como era él, y era una mención en los créditos a la altura de Gary Cooper. Lo iban a hacer con George Raft, así que no había razón para que no lo mantuvieran. Pero Tony le dijo que sólo le importaba el trabajo, ni siquiera el dinero.

Lombard no admitía eso. Le pondría en contacto con su agente, Charlie Feldman, el mejor de todos, para que se ocupara personalmente.

Tony estaba exultante. Era posible que, después de todo, él fuera a ser alguien. Y según apareció, se lo llevó a la oficina central a ver a Adolph Zukor, a quien detalló lo grande que empezaba a ser su nombre, amén de los de los directores que ya lo elogiaban. Pero no fue muy necesario tanto preámbulo. Zukor acababa de hablar con Hathaway y éste le había comentado que era una lástima que Tony fuera tan joven, porque no podían darle el papel de George Raft, pero sí contratarlo, aunque sabía que había rechazado un contrato muy bueno.

Charlie salió en su defensa. Aquella cantidad ofrecida no era buena en absoluto. De los ciento cincuenta dólares a la semana que iba a cobrar a los dos mil semanales que se le pagaban a Raft, había una diferencia enorme e injusta. Tony era excelente, no necesitaba preparación alguna con todo el currículum que arrastraba del teatro. De hecho, añadió, Mae West no cesa de elogiar su talento y John Barrymore quiere trabajar a su lado.

Zukor parecía convencido, pero no dio luz verde a la cantidad de mil quinientos dólares a la semana que sugirió su agente. Después de todo, no había hecho más que papeles pequeños y no sabían cómo se le daría uno de más importancia; protagonista, incluso. Así que lo dejaría en quinientos.

Charlie no se dio por vencido. Quería para Tony un contrato de mil dólares a la semana por un año, por cuarenta semanas. Pero tampoco con ese trato quedó conforme. Seguía siendo una locura. Mejor le daba setecientos cincuenta en el acto y un contrato de cuarenta semanas.

Entonces ocurrió algo. Charlie se echó a reír. Le dijo a Zukor que no podía ofrecerle eso a un talento como el que tenía delante, así que harían lo que sigue: Tony trabajaría gratis en *Souls at sea*, y si lograba convencerse de su valía y lo quería contratar, le pagaría dos mil dólares semanales. Y esa propuesta sí fue aceptada.

Tony no daba crédito. Estaba muy deprimido y su nuevo agente le explicó que así era como había que jugar las cartas, y que no se preocupara, ya que, si tenía fe en sí mismo, en ocho semanas estaría ganando la cantidad acordada.

Todo eso estaba bien, o lo parecía, pero en ese momento Tony no contaba con dinero y Charlie Feldman le extendió un cheque por cinco mil. «Para demostrarte la fe que tengo en ti», explicó.

Carole Lombard le dio la razón a Charlie cuando Tony le contó la historia. Debía exigir el máximo: «O te conviertes en el más grande o vuelves a picar piedra.» Ante los cinco mil del cheque, Lombard le aconsejó que los cambiara e ingresara en el banco. Aquello había sido un gesto de Charlie, quien tendría que trabajar por esa cantidad.

Efectivamente, le dieron el papel de *Souls at sea* como protagonista junto a Gary Cooper, pero tuvo que volver a la oficina de Adolph Zukor, quien reconocía la estupidez del trato al que había llegado con Charlie. Comenzó una nueva negociación entre ambas partes. Zukor ofrecía ahora mil dólares a la semana, pero Charlie pretendía mantener la teoría del «regalo». Y lo consiguió.

El lunes que tenía que presentarse a rodar se sabía el papel a la perfección y se sentía estupendamente en su traje de lugarteniente de la marina, que había estado probándose la semana anterior. Para colmo, su camerino era de primera categoría. Carole Lombard se lo había conseguido y estaba justo al lado del suyo. Contaba con una salita, una cama y una cocina con nevera. Lo tenía todo ya. Ahora el departamento de vestuario le buscaría sin que tuviera que moverse. Y sólo contaba con veintiún años.

Se sentó a esperar, pero allí no aparecía nadie, y se suponía que a las nueve comenzaba a rodar. Llamó a Joe Egley. Había cambios y Joe le acompañó al despacho de Henry Hathaway. No quiso entrar y, una vez allí, vio a George Raft rodando la escena que él había interpretado para la prueba.

Salió inmediatamente, volvió a su camerino y llamó a Charlie. No consiguió comunicar con él en todo el día. Sí, en cambio, con Carole Lombard, quien le explicó que esas cosas sucedían muy a menudo; a ella misma, sin ir más lejos, le había pasado. Pero no se enfrentaba al vacío absoluto, tenía cinco mil dólares en el banco, una amiga estupenda y un papel de protagonista en *The Buccaneer* (1938) que Cecil B. De Mille estaba casi decidido a darle. Y de hecho le llamó para preguntárselo y cerciorarse. De Mille le preguntó entonces que si ella era su agente y, ante los gestos de Tony, su respuesta fue afirmativa. A ésa siguió otra, y la tajante respuesta fue «quinientos dólares a la semana», tras la cual, Carole colgó. Ya estaba hecho, al día siguiente vería los resultados.

Y los vio.

Esa noche, en casa de De Mille hubo una proyección a la que asistieron algunos amigos y los cuatro hijos del director, incluida Katherine, que no se había casado y había vuelto. Lo que De Mille les puso fue una película y varias pruebas de Tony. Cecil estaba cada vez más entusiamado con él, quería darle el papel, sólo que Katherine creía más adecuado, por la edad, a Clark Gable. Sí, eso era razonable, si Clark estaba disponible.

Al día siguiente le llamó. Gable no estaba disponible y le iba a dar el papel a Fredric March, pero hablaría con la Paramount para que le dieran a él un contrato para un personaje pequeño, pero que, sin embargo, aparecía a lo largo de toda la película. Aceptó. Necesitaba aceptar, aunque fuera en contra del consejo que Carole Lombard le había dado.

Poco después volvió a ver a Katherine. Se acercó a ella y le preguntó que si le gustaba Thomas Wolfe. Ella le conocía, pero no había leído nada suyo. Tony insistió y le pidió que probara con «Del tiempo y del río». La razón: «Si le gusta Thomas Wolfe, le gustaré yo, y si lo ama, me amará y se casará conmigo.»

Ella lo hizo, lo intentó, y aunque sus ojos no decían tal cosa, su respuesta fue: «Creo que ese tipo está loco.»

Pero aún no había llegado el momento en su vida para intimar con ella y enamorarse. En cambio, apareció una muchacha eslava que era amiga de Joan, la hija de Sylvia, y ésta, que aún le amaba pero comprendía que la diferencia de edad que existía entre los dos no podía hacerles durar mucho más, insistió en que pasaran algún tiempo juntos. Y lo hicieron, porque gracias a Sylvia, que se tomó en serio la labor de instruir a la joven en las mismas materias que a él, poseían similares conocimientos culturales. De este modo, pensaron en hacer un viaje. Se dirigieron a Big Sur y se instalaron en Pismo Beach, pero la joven resultó ser tan fogosa que Tony la descartó de inmediato como opción para nada.

Sylvia lo tomó con humor, pero lo cierto era que ella había decidido ya que su relación no continuaría. Tal vez porque pensaba que su carrera en el cine ya había despegado, pero eso estaba lejos de la realidad: tenía mucho que aprender y entró a formar parte de un grupo llamado los «Comtemporary Players», la mayoría de cuyos integrantes había sido miembro del Group Theatre de Nueva York. En el momento en que Tony entró, no podía aceptar un papel en la obra que ensayaban debido a su contrato, pero sí se quedaba a estudiar con ellos. Y entre ellos había una mujer, Janet Lawe. Rubia, atractiva, inteligente, y cuya familia había renegado de ella por quererse dedicar al teatro.

Una noche fueron a tomar un café y le contó que vivía en un piso con otras tres chicas que eran prostitutas, pero que no podía irse porque ya había pagado el alquiler y no tenía más dinero. Fueron entonces a la nueva casa de Tony, en Silverlake, un piso alquilado con el dinero del Estudio, su primer dinero del Estudio.

Janet era lista y tenía las ideas muy claras. Era una Sylvia más joven, pero con la diferencia de que él no sentía nada especial por ella.

Y sin prisa pero sin pausa, se instaló en su casa. Le pidió permiso para quedarse esa primera noche. Lo hizo fríamente, y él aceptó. Al día siguiente le había preparado el desayuno y no volvió a preguntarse ni a preguntarle si podía seguir allí. Simplemente siguió. Un mes después, se metió en su cama una noche. No había mostrado interés alguno por él, y esa noche lo hizo. Le pidió sexo con la excusa de ser una mujer liberada y capaz, como las de su época, una nueva época, de todo con tal de satisfacer sus necesidades en dicho campo. Y él, entonces, y por miedo a que lo tachara de fascista por rechazar a Marx, no se negó.

Al día siguiente su actitud volvía a ser la misma de siempre y le aseguró que eso no iba a cambiar, y eso, a Tony, le pareció bien. Ella sólo se le acercaba cuando le necesitaba, que no era mucho, y el resto, él continuaba con su vida, en la cual Katherine ya tenía una cabida importante, pero aunque él estaba dispuesto a todo por ella, era evidente que les separaba un mundo.

La primera noche Tony la llevó a cenar a un sitio poco elegante, como prueba de lo que habría de soportar si acedía a casarse con él. Y lo hizo.

Pero antes se la presentó a su madre, a Sylvia, a Evie, y la llevó a conocer todos los lugares de su pasado. El de su presente no. En el de su presente seguía viviendo Janet, que decía haberse enamorado de él. Pero un día él hizo las maletas y le dejó una nota dándole las gracias por su ayuda y prescindiendo ahora de ella, puesto que, le explicaba, se había enamorado y pensaba casarse. Ella podía quedarse con la casa. Él se marchó lejos, al valle de San Fernando.

La chica de la que hablaba en su nota era Katie y ahora iba a conocer a la familia de ésta, y eso le aterrorizaba. El lujo y la riqueza le eran completamente ajenos. A ella le eran familiares desde los once años, edad en la que había sido adoptada al quedarse huérfana, pero había sido una casualidad; podía no haber conocido nunca esa vida, aunque así era, y eso subjetivamente le imponía un respeto inmenso y objetivamente suponía una barrera de clases que él intentaría superar de alguna forma. Pero no podía, no se sentía cómodo, y pese a que Katie hacía lo posible por remediarlo, De Mille lo veía como una amenaza, como un intruso en su familia. En el plató le ayudaba, le alentaba. No podía hacer lo mismo al respecto de su hija, porque ni su origen ni su futuro le parecían dignos de ella. Y de hecho nunca favoreció la carrera del actor, quien tuvo que conformarse durante años con papeles de escasa importancia en títulos de igual suerte, como *Dangerous to know* (1938), *Hunted Men* (1938), *King of Alcatraz* (1938), *King of Chinatown* (1939) o *Emergency Squad* (1940), filmes donde su papel siempre fue el mismo: el de un brutal hampón.

También le quiso para *Union Pacific* (1939), pero en ella tampoco tuvo un papel relevante. Hubo de resignarse con ser el elegante guardaespaldas del jugador que interpretaba Brian Donlevy.

La madre sí fue acogedora. Tal vez porque recordaba la época en que su marido intentaba hacerse un hueco como actor. Pero fue la única de la familia que tuvo un trato amable; los demás le creían de paso, uno más en la lista de jóvenes que se habían sentado a cenar a la mesa y que no lo haría muchas veces más.

Al llegar al café se sirvió lo que él pensaba que era azúcar y resultó ser sal. Se lo bebió en cualquier caso; con un gran esfuerzo, eso sí. Tal anécdota les hizo abrir los ojos y plantearse si valía la pena dar un paso como el que proyectaban. Entonces él, para que todo quedara claro, le contó lo de Janet. Le dijo que no estaba enamorado de ella, que nunca lo había estado, pero que sí habían tenido sexo juntos, no en nombre del amor, sino en el del marxismo y el de la liberación sexual. Y ella lo entendió.

Pero el castillo en el que vivía les seguiría separando. Era una prisión, a la que se accedía con limusinas y escolta oficial y a la que no podía entrar ningún miembro de su familia. Intencionado o no, presionada o no, Katie no invitó a la boda a nadie de su familia.

Decididamente, en la que estaba a punto de unirse, siempre encontraría bebidas amargas, la primera de las cuales fue descubrir en la noche de bodas que Katie no era virgen.

Comprobar tal cosa supuso para él una humillación de la que trató de salir a golpes. Sí, la abofeteó y él no pudo «consumar» el matrimonio. Ella se marchó con la intención de ir a Reno a pedir el divorcio y él se quedó en la habitación, sentado en la cama, tratando de no pensar en ella, pero recordándola en todo momento, hasta que decidió salir a buscarla. Subió al coche e hizo lo posible por llegar a Reno antes que el tren. Ochenta kilómetros antes de llegar el tren, éste se detuvo para dejar pasar los vagones de carga, y Tony aprovechó para subirse y buscar a su mujer.

Cuando la encontró, apenas le miró. Había estado llorando.

Él tomó sus maletas y le indicó que le siguiera. Una vez en el coche, Tony le dijo que tendría que resignarse y aprender a ser su hombre si ella era su mujer. Volvía la persecución del número uno. Sólo así podía sobrevivir la relación, eliminando todo su pasado reconocible, evitando relacionarse con sus amigos, yendo a lugares donde nunca hubiera estado con nadie, siendo el centro de su vida.

Pero nunca sintió que lo consiguiera. Podía ser el número uno para el público, pero no era suficiente. Los fantasmas del pasado de Katie estaban ahí para él. Ella no les daba importancia, pero Tony lo veía como un muro que siempre intentó derribar.

Ahora, al casarse, se trasladó cerca de Westwood, modestamente. Pero las cosas no andaban bien con Janet, que amenazaba con demandarle por incumplimiento de la promesa de matrimonio y, aunque no era cierto, la Paramount la pagó cinco mil dólares para que no formara un escándalo. Las cosas no le iban bien a Tony, por lo que tardó dos años en devolver el dinero.

A Carole Lombard se la encontró en otra ocasión y a ella le reconoció su mala temporada. Ella se mostró comprensiva y le preparó para que se hiciera a la idea de que lo seguiría pasando mal como yerno, porque por un lado lo usarían para llegar a B. De Mille y, por otro, irían a triturarlo para vengarse de él. Y era cierto, ya lo había experimentado: el tono con el que le habían hablado algunas veces de su suegro le había hecho reaccionar de forma violenta.

Volver a encontrarse con Barrymore, Jack para los amigos, y él lo era, un día, en la Paramount, fue un gran consuelo para él. Le echó en cara al «hijo de puta» que se hubiera vendido a un Estudio y hubiera firmado un contrato con él en lugar de haberse marchado a Inglaterra, como le recomendó. Seguidamente llevó a Tony a su camerino y allí le contó que las mujeres le habían arruinado y que debido a ello se había visto obligado a hacer películas de segundo orden sobre Bulldog Drummond. Le recomendó también que no se casara nunca, y luego cayó en la cuenta de que ya lo había hecho y con quién. Y dudó de que lo hubiera hecho por amor.

En cualquier caso, había entrado en su grupo, y su cinismo fue de una enorme ayuda para Tony. Continuamente encontraban motivos para reírse de la palabra «amor», cuando lo que querían en realidad era creer en él. Por tanto se sentía cobijado, no estaba solo en su frustración, pero tampoco era capaz de caminar como Barrymore, con aire de triunfo.

Una noche, en el club nocturno Earl Carroll, de Sunset Boulevard, quisieron hacerle a Barrymore un obsequio especial. Le sacaron a regañadientes al escenario y allí le saludaron como a uno de los actores más grandes. Un auténtico honor que se disponían a premiar concediéndole un baile con su mejor bailarina, algo que a Jack, que sufría de gota, no le parecía una buena idea y comenzaba a sentirse incómodo.

De entre bastidores salió una mujer con los dientes pintados de negro, con las piernas torcidas por ella misma y con el andar que tal postura proporcionaba. El ridículo que seguro estaba a punto de hacer Barrymore, actor cuyo esplendor ya había pasado pero no la fama que le precedía, se transformó en otra cosa cuando comenzó el vals. La risa que provocaban en el público no cesó desde que la bailarina salió a escena, pero también se transformó. Él la llevaba con paso firme y besó a la mujer en la mano cuando el vals finalizó. Ella se marchó orgullosa y él se dirigió al resto, mandándoles escuetamente a la mierda. Por supuesto, la reacción fue de silencio absoluto, pero le siguió una enorme ovación. Estaba claro que John Barrymore seguía siendo grande, seguía teniendo esa luz que distingue a los mejores. Y Tony se sentía muy bien con él y con su grupo: W. C. Fields, Gene Fowler y John DecKer, desenfrenado y bebedor.

Su mujer no lo aceptaba totalmente. Pensaba que por mucho talento que tuviera cada uno en su especialidad, y por mucha fama que aún pudieran tener, no le estaban ayudando en absoluto. De lo que no le habló fue de sus propias inseguridades. Pero no tardaría en hacerlo: pronto le comunicó que él mismo se había despedido de la Paramount. *Union Pacific* fue su último filme en el Estudio. Si seguía allí lo iba a tener muy difícil, siendo el yerno de De Mille. Sólo interpretaría a gángsters, y no de primera categoría, a indios y a bandidos mexicanos. Y ella no le puso traba alguna al saberlo.

Cuando se marchó, cambió a la Warner, pero cierto es que su situación no mejoró. Siguió en su línea de papeles de gángster en *Thieves Fall Out* (1941), *Bullets for O'Hara* (1941) o *Larceny, Inc.* (1942), o de jefe siux, mano derecha de Toro Sentado y verdugo del general Custer en *The died with their boots on* (1941).

Pero no todo fue tan oscuro y similar. También cambió de registro cuando aceptó ser manager de boxeo en *Knockout* (1941) o torero en *Blood and sand* (1941), películas de mayor presupuesto e influencia, donde pudo conocer a Tyrone Power, Errol Flynn o Rita Hayworth.

Su contrato con la Warner terminó, y antes de firmar por tres años con la Twenty Century-Fox, estudio para el que ya rodó *The perfect snob* (1941), volvió a la Paramount, a petición de Bing Crosby y Bob Hope, para que fuera un jeque árabe en *Road to Morocco* (1942).

En la Fox tampoco se convirtió en una primera figura, pero ya tenía una consideración diferente, de actor de carácter en películas ambiciosas. Al menos, iba por buen camino.

Fue Wogan, el lugarteniente tuerto del pirata Leech, interpretado por George Sanders en *The black swan* (1942), al lado de Tyrone Power y Maureen O'Hara. También uno de los tres cuatreros sobre cuyo linchamiento versaba *The Ox-bow incident* (1943), junto a Henry Fonda y Dana Andrews, y un héroe de guerra mexicano en *Guadalcanal Diary* (1943).

Pero no le quedó otra opción que repetir papeles: aunque protejido por Joel McCrea, Maureen O'Hara, de nuevo, Linda Darnell y Thomas Mitchell, volvía a ser jefe indio en *Buffalo Bill* (1944), en concreto se convirtió en Mano Amarilla. Y en *Roger Touhy* (1944) encarnó una vez más a su ya conocido y explotado personaje de gángster.

En ese mismo año, sin embargo, rueda «Ladies of Washington», primera oportunidad que se le ofrecía de representar en la pantalla el papel de *latin lover* por el que fue conocido durante toda su vida. En ella dio rienda suelta a su lado romántico, a su enorme encanto, y ofreció a los espectadores el primer beso de su carrera cinematográfica.

Con dos títulos musicales, dirigidos ambos por George Ratoff, finalizó su contrato con el Estudio. El primero, realizado en 1944, se tituló *Irish eyes are smiling* y en él interpretó a un jugador amigo de un compositor irlandés. En el segundo, *Where do we go from here?*, junto a Fred McMurray, fechado un año después, hizo una parodia de los papeles de indio que le estaban caracterizando, metiéndose en la piel de un jefe de tribu que le vende la isla de Manhattan a un holandés.

Le tocaba el turno a la RKO. Allí firmó un contrato de tres años, hasta 1947, y en ese tiempo el Estudio le permitió sacar adelante buenos papeles secundarios: en *China sky* (1945), con Randolph Scott, y en *Back to Bataan*, del mismo año, y junto a John Wayne.

Llegado el año del vencimiento del contrato, Tony se decidió a hacer *Black Gold*, la historia real del caballo que, criado por una pareja de indios analfabetos que se hizo rica de la noche a la mañana al encontrar petróleo, logró ganar el famoso y prestigioso Derby de Kentucky.

El filme fue dirigido por B. Reeves Eason y Phil Carlson, y Tony eligió a su mujer para acompañarle por primera y única vez en la carrera de ambos. Sería también su primer protagonista, pero la cinta no funcionó. Era demasiado ambiciosa, tenía pocos medios y se promocionó mal.

Y el fracaso le devolvió a Broadway.

Sam Wanamaker le llamó para que sustituyera a John Garfield en *The gentleman from Athens*, papel por el que consiguió críticas estupendas pero un fracaso de público más que notable.

A esa obra siguió una gira por provincias de la National Company con «A streetcar named Desire», de Tennesse Williams. Su compañera de reparto fue Uta Hagen y juntos sustituyeron a Jessica Tandy y a Marlon Brando cuando se tomaron unas pequeñas vacaciones y siguieron con la compañía. Comenzaron en Pittsburg y llegaron a instalarse en Chicago durante seis meses. En esta ocasión sí tuvo éxito, y mucho. La obra se representó hasta diciembre de 1949, y R. Coleman, crítico del *Daily Mirror*, llegó a afirmar que su Stanley era igual o superior al de Marlon Brando.

Pero también fracasaron sus siguientes obras, *Borned in Texas* y *Born Yesterday*, y eso le llevó a volver a Hollywood, donde tres años después pudo comprobar cómo había disminuido su cotización.

Lo primero que hizo al regresar fue interpretar al apoderado de un torero famoso, al que daba vida Mel Ferrer, en «The brave bulls» (1951), de Robert Rossen. Y lo segundo, volver al teatro por última vez en mucho tiempo. Fue en marzo de 1951, pero no en Nueva York, sino en Wilmington, para hacer una comedia en tres actos titulada *Let me hear the melody*, sobre un productor cinematográfico, pero ante el escaso éxito la obra nunca se representó fuera de Filadelfia.

Poco faltaba para que obtuviera su primer Oscar, al año siguiente. *¡Viva Zapata!* se lo hizo ganar. En ella trabajó por primera y última vez con Marlon Brando y, según afirmó, «por primera vez estaba haciendo lo que quería». Llegó a asegurar que le hubiera gustado interpretar a Villa, porque se parecía más a él que a Zapata, aunque su corazón estuviera siempre con este último, pero en el filme de Elia Kazan interpretó a su hermano, y tal personaje le hizo conocido tras veinte años de incesante trabajo como, precisamente, aquello de lo que huía, el ser casi exclusivamente un extra. Y fue aquélla una experiencia que siempre recordó con cariño porque para él significaba vivir aquello por lo que pasaron sus padres en un momento crucial de sus vidas.

Todo parecía por fin encaminado, pero seguía sin ser así. Continuó haciendo cine, pero las ofertas que recibía no se diferenciaban mucho de lo ya interpretado: marino portugués en *The world in his arms* (1952), jefe indio en *Seminole* (1953) o capataz de pozos de petróleo en *Blowing wild* (1953), con Gary Cooper de nuevo y Barbara Stanwyck.

En ese mismo año trabajó junto a Ava Gardner y a Robert Taylor en *Ride, Vaquero!*, película por la que pudo cobrar más de lo que él lo hacía habitualmente gracias a la intervención y la ayuda de Ava, favor que Tony le devolvió muchos años después cuando Ava apostó por *Regina Roma* (1982), un filme de poquísimo presupuesto en el que Tony aceptó intervenir por ella, y por el que accedió a rebajar su caché, cuando él era un actor de un millón de dólares: por contrato nadie podía cobrar más que ella, y Ava creía en la película, y llevaba un tanto por ciento de la recaudación. Tony entonces le ofreció su apoyo y de ese modo aumentó la importancia de la película.

Claro que el seguir siendo mediocre estaba a punto de cambiar. Mediocre en cuanto a un clarísimo encasillamiento de papeles y a un salario aún más bajo de lo que merecía, porque su talento y su versatilidad estaban más que probados.

En 1953 le contrataron Carlo Ponti y Dino de Laurentiis y dejó Hollywood para rodar en Italia *Ulisse*. En dicho país filmó cinco títulos en once meses, y a su vuelta a Hollywood le esperaba la gloria de llegar convertido en una estrella, pese a que su personaje en *Ulisse* fuera un malo muy típico y casi la totalidad de las películas rodadas allí no funcionaran en taquilla, incluyendo *Caballeria rusticana*, donde llegaba a cantar pero cuya demostración se eliminó del primer montaje del filme, en blanco y negro. Durante la preparación de su papel de Alfil conoció a la joven Sophia Loren y ella fue la elegida por Tony para interpretar el papel de Santuzza, pero el productor, Carlo Ponti, no aceptó la sugerencia y decidió que May Brito era una elección mucho más acertada.

Pero también rodó *Donne prohibite* (1953), en la que coincidió con Giulietta Masina. Giulietta le presentó a su marido, Federico Fellini, quien le pidió a Tony que leyera uno de sus guiones. Se trataba de *La Strada*, el que sería uno de los primeros y míticos títulos del director. Tony quedó impresionado al leerlo y a su vez pidió a Fellini ver algún filme de los rodados por él. El título seleccionado como prueba fue *I Vitelloni* (1953), que acababa de terminar, y a Tony le entusiasmó e inmediatamente se interesó por trabajar con él.

La Strada le consagró definitivamente, y de forma tan inesperada que Tony no pudo disfrutar del porcentaje del 25 por 100 de beneficios que le correspondían por contrato, puesto que los había vendido por doce mil dólares, aconsejado por su agente, quien no creyó en la película al ver que su mujer se dormía viéndola. Le llamó y le ofreció dicho dinero al contado por su parte en el filme. Resulta irónico y Tony afirmó que «el sueño de aquella señora me costó un dineral». El filme ganó en Venecia en 1954, el premio de la crítica neoyorquina en 1956 y el Oscar a la mejor película de habla no inglesa. Y además, Tony no tenía más que elogios para el director. Le consideraba uno de los pocos genios con los que había tenido la oportunidad de trabajar y un hombre capaz de hacerte sentir que estabas haciendo algo importante, que estabas involucrado en un proyecto que se convertiría en un clásico.

Tal éxito tuvo una repercusión muy clara: ya le proponían interpretar papeles protagonistas en Estados Unidos, donde todavía no tenía un nombre de peso en la taquilla debido a que la cinta de Fellini aún no se había estrenado. Protagonizó *The long wait* (1954), con Charles Coburn, y *The Magnificent Matador* (1955), junto a Maureen O'Hara.

En este período formó dos productoras, una con Kirk Douglas, con la que no llegó a rodarse ninguna película, y otra con Robert Ryan, para poder llevar a cabo *Don Quijote*, *Macbeth*, etc, pero la muerte de Ryan en 1973 congeló el segundo y nuevo esfuerzo de Tony por lograr producciones propias.

Otro proyecto que no llegó a materializarse fue la serie para la televisión británica *The man from Lloyd's*. Había rebajado su caché a tres millones de dólares a cambio de tener su propio show semanal.

Después viajó a Italia para meterse en la piel de *Attila* (1954); ahora sí, con Sofía Loren. Cuando se estrenó en Estados Unidos, tres años después de que la rodara, *Variety* dijo que Tony lograba una poderosa interpretación del personaje.

En 1955 volvió a protagonizar un filme, *The naked street*, con Farley Granger y Anne Bancroft.

Sin embargo, el más reconocido de todos los de esa época fue el que desarrolló en *Lust for life* (1956), dirigida a la par por Vicente Minnelli y George Cukor. Se trataba de la adaptación del best-seller de Irving Stone donde se relata la vida de Vincent van Gogh, interpretado por Kirk Douglas, que obtuvo el papel entre otras razones por su enorme parecido con el autorretrato del pintor. En la película, Tony hizo el papel de Paul Gauguin. Y gracias a él, al personaje y, cómo no, a su talento, ganó su segundo Oscar como mejor actor secundario. Al recoger su premio dijo que «a riesgo de ser malentendido me gustaría decir que para mí la actuación nunca ha sido una cuestión de competir con otros, sólo compito conmigo mismo y quisiera agradecer a los que me han dejado ganar la batalla».

Pero su carrera seguía dando tumbos. Antes de que su nombre constara en los créditos de filmes más importantes, con papeles de gran envergadura dignos de pasar a la historia del cine, aceptó aparecer en títulos como *The man from Del Río* (1956), «sólo porque mi personaje era un fuera de la ley, sin amigos, sin sentido de la responsabilidad y lleno de prejuicios raciales, y sentí que era algo sobre lo que quería hacer algún comentario».

Ahora llegarían los papeles importantes. Esforzándose por encontrar personajes que supusieran un reto, se convirtió en el jorobado Quasimodo en *Notre Dame de París* (1956), junto a Gina Lollobrigida. Por supuesto se trataba de «The hunchback of Notre Dame», de Víctor Hugo, pero la productora RKO Pictures tenía los derechos del título y hubo que cambiarlo. También fue pistolero y jugador homosexual en *Warlock*, pero fue en *Wild is the wind*, de George Cukor, donde trabajó con Anna Magnani, por la que consiguió una candidatura al Laurel de Oro, amén de volver a estar nominado al Oscar, ésta vez como mejor actor.

Y por si fuera poco, iba a hacerse cargo de la única película en cuyos créditos figuraría como director en toda su carrera. Se trató de *The Buccaneer* (1958). De Mille se la había ofrecido a otro actor, a Yul Brynner, para que además de dirigirla la interpretara, pero éste no se atrevió a hacerse cargo de lo primero y Tony tomó el relevo, también a petición de De Mille, cuya relación se había suavizado a lo largo de la década de los 50. Debido a que su suegro estaba enfermo y no podía realizar él mismo otra versión de su viejo éxito, en esta ocasión transformado en musical, Tony aceptó la propuesta. De Mille le preguntó si tenía huevos para dirigirla, porque Yul Brynner no los tenía, y estaba buscando un director y ya había hablado de él como opción más que segura. Tony respondió que él sí. Pero el éxito no se repitió en esta ocasión, aunque finalmente se desechara la posibilidad de convertir el filme de aventuras en un musical. Es más, prefería centrarse en los personajes y dejar la aventura a un lado para que nadie le acusara, si la cinta no funcionaba, de que había rodado de nuevo la película plano por plano. Pero a cada cosa que Tony pretendía cambiar, De Mille se imponía y se reía de él diciéndole: «¿Ves como no tienes huevos?»

De hecho, se encontró con numerosos problemas: no sólo el presupuesto con el que contaba era bajísimo —cinco millones— para ese tipo de género, por lo que tuvo que rodar las batallas con mucha niebla, y usar únicamente treinta extras, sino que entre otras cosas no le dejaron prácticamente ni entrar en la sala de montaje. De este modo la carrera de Tony detrás de las cámaras terminó con ese título, aunque no sus ganas de volver a intentarlo. De hecho, en una entrevista concedida a Sheilah Graham para su columna del 11 de octubre de 1957 Tony dijo que, tras más de setenta películas, encontraba la dirección mucho más, muchísimo más, interesante, que tenía dos proyectos más para dirigir y que sólo algo realmente fabuloso podría hacerle volver como actor en una película. Años después aún soñaba con llevar a la pantalla su vida con su padre. La quería haber titulado *El elefante*.

Como director parecía no tener ningún futuro y como actor demostraba cada vez más su valía, siendo ya una estrella que trabajaba con Lana Turner, Sophia Loren o George Cukor, pero en 1960 volvió a subirse a un escenario. Esta vez para interpretar *Becket* con Laurence Olivier, donde éste era Thomas Becket y Tony, Henry II. Para él fue maravilloso porque consideraba a Olivier uno de los más grandes del teatro y admitió que con él se aprendía y se crecía profesionalmente.

Después se sumó a los rodajes de *The guns of Navarone* (1961), con Gregory Peck y David Niven, y al de *Lawrence of Arabia* (1962), con Peter O'Toole, Alec Guinnes, Omar Sharif y José Ferrer. El filme lo dirigió David Lean y es otro de esos grandes que Tony recuerda más grande aún. Con él también, como años atrás se atreviera a hacer con De Mille, tuvo la sangre fría de proponerle otra forma de rodar una escena en la que intervenía. En ella había miles de extras, caballos, camellos, y Tony sugirió que su personaje no enviara a la muerte a todos esos guerreros con una simple voz de ataque. Él creía que debía ir a las rocas y meditar su decisión.

Lean le respondió que tal cambio llevaría consigo un trastorno de cuatro horas de retraso. «Si es así, hagámoslo como usted dice», a lo que Lean respondió: «No, me gusta mucho tu idea.»

Al final de la jornada quiso acercarse a pedirle perdón y Lean, en lugar de aceptarlo, le agradeció la propuesta. Le dijo que la escena había quedado mejor gracias a esa idea, y que nunca dejara de dárselas aunque le viera muy seguro de sí mismo. Ése fue sólo uno de los aciertos que, unido a la magnífica interpretación que realizaba, le valieron la nominación al BAFTA al mejor actor extranjero.

En ese mismo año rodó en Italia, con Dino de Laurentiis, el *peplum Barrabás,* como protagonista absoluto y con diez millones de dólares de presupuesto y treinta mil extras avalando la importancia del proyecto. Y fue allí, durante ese rodaje, donde conoció, y se enamoraría, a su segunda mujer, Yolanda, la diseñadora de vestuario del filme.

Su compañero de reparto era Vittorio Gassman, que era Sharak en el filme y tenía a quien se ocupara de su ropa en exclusividad; así que Tony habló con el director de la cinta, Richard Fleisher, y le pidió otra sastra para él. Ante la pregunta que Fleisher le hizo de si alguna en especial, él señaló a una que pasaba por allí, y que solía estar presente durante el rodaje, con trajes en los brazos. Y la señaló, y con dos Oscar en su haber ya, como actor secundario por *¡Viva Zapata!* y por *El loco del pelo rojo*, se podía permitir amenazar con abandonar si ella no se ocupaba de él. Le dijo a Fleisher que si no funcionaba a la semana buscarían otra, pero funcionó, y lo hizo por muchos años: treinta, para ser exactos. Y no le fue infiel nunca, pero una vez terminado el matrimonio, Tony lo recordaría como algo alegre y doloroso al tiempo, como algo que a la vez gusta y disgusta recordar.

Pero cuando la conoció aún estaba casado con Katie, con la que se casó el 21 de octubre de 1937 y se separó en 1965.

Ella no le permitió quedarse con los niños. Le dijo que estaría muy ocupado con las películas y que no los iba a cuidar como debía. Tampoco le dio el divorcio con facilidad. Quería vivir siempre como lo había hecho con él. Porque lo cierto es que no sólo tuvieron malos momentos, los hubo también muy buenos. Él había estado enamorado y compartían aficiones: juntos se descubrieron autores literarios que uno desconocía y el otro admiraba, adoraban los largos paseos que daban por las colinas y junto al mar, y cuando tuvieron hijos utilizaban como medio la reflexión educativa, como por ejemplo con la religión, tema preocupante para ambos. Katie no quería imponer ninguna creencia a los niños, de mayores decidirían y se decantarían. Tony estaba de acuerdo.

Los domingos los llevaban a la playa o la montaña. En cierta ocasión fueron a la cordillera de Malibú. Una vez en la cumbre, cada uno de sus cuatro hijos escogió una clase de árbol y se sentó junto a él. La función de tal ejercicio era pensar: en lo que se quisiera, preferiblemente en Dios, pero pensar con la libertad de que no se les iba a preguntar cuál era el resultado.

Por aquel entonces tenía cuatro vástagos. Con ella tuvo otro, que en realidad era el primero del matrimonio, Christopher, del que Tony nunca, o casi nunca, ha querido hablar, ya que murió siendo muy pequeño, a los tres años de edad, ahogado en la piscina de W. C. Fields, acontecimiento que Tony jamás aceptó ni superó.

Años más tarde, su primer nieto, hijo de Lorenzo, se llamaría Christopher en homenaje a ese primogénito que perdió. Y eso lo emocionó profundamente.

De los restantes, las mayores eran Chrissy, Cristina, la que más le preocupaba porque decidió operarse la nariz sin enfrentarse a ella, a ese «defecto» que la convertía en única, en diferente al resto de las chicas, una nariz como la del propio Tony, su padre o su hermana, recia, y al cambiarla demostró tener un problema de personalidad que a su padre le preocupó, y Katie, Catalina, de gran parecido con la abuela de Tony, doña Sabina, y por tanto una criatura de enorme belleza y fuerza moral.

Por último estaban Duncan, una persona en apariencia tímida y cuya incapacidad para mirar a los ojos a la gente respondía en realidad a la cantidad de dolor que temía encontrar en ellos, y Vally, Valentino.

Otro día, dando un paseo con Katie, llegó al campo recién plantado de una mujer que salió de la casa gritando toda clase de insultos porque las ruedas de su coche estuvieran aplastando sus surcos. Él no se había dado cuenta de por dónde conducía y Katie le pidió calma, que ella tenía razón. Y él tuvo calma. Más que eso, expuso todo su encanto irlandés. Y dio resultado: la mujer, en lugar de seguir gritando, se calmó y les invitó a entrar. De hecho, su encanto irlandés siempre le daba resultado, y era por esa razón por la que no lo utilizaba muy a menudo, dado que era una raza que no tenía que defender.

Pero la comprensión de Katie no era suficiente. Había demasiados fantasmas, demasiadas complicaciones que él mismo no se permitía superar ni sabía cómo hacerlo; así que, tras una noche de pesadilla donde entre otras cosas soñó que la pantera estaba a punto de devorarlo, le agarró a su mujer por el cuello, confundiéndola con el animal cuando intentaba despertarlo. Ésa fue la gota que colmó el vaso. No podían seguir así. Además, Yolanda ya estaba muy asentada en la vida del actor.

Años más tarde, Katie seguía viviendo en Arizona, con las hijas de ambos, quienes le aseguraban que, debido a los cuidados que continuamente necesitaba, era imposible atenderla como demandaba su estado de salud y Tony se ofreció a pagarle todos los gastos a los que hubiera que hacer frente.

Tony y Yolanda se casaron en la navidad de 1965, cuando ya habían tenido dos de los tres hijos que sumaría el matrimonio, y estaban esperando al último cuando celebraron su boda civil en la casa privada de su agente, con un abogado que lo validara. Yolanda estaba embarazada de cinco meses y cuando nació el bebé los tres fueron bautizados en Roma, mientras rodaba allí *Las sandalias del pescador*. A Francisco lo bautizaron en San Pedro, a Daniel en San Pablo, y a Lorenzo en Santa María la Mayor.

Tras el bautizo del primero, Francesco, reconoció su paternidad públicamente y añadió que no le importaba lo que la gente pensara siempre y cuando él supiera que estaba haciendo lo correcto con respecto al bebé. «No quiero que tenga que ir al psiquiatra cuando cumpla los cuarenta porque no se ha sentido querido. Le daré mi nombre y el mismo amor y las mismas atenciones que a mis demás hijos.»

Y mientras, Anthony Quinn, el actor, seguía forjando su leyenda en Hollywood: Michael Cacoyannis le propuso ser Zorba el griego en *Alexis Zorbas* (1964) cuando Tony interpretaba *Tchin-Tchin* en teatro, una vez acabada la cinta de David Lean. Y con dicho proyecto llegaría el gran símbolo de su vida como actor, el personaje por el que el mundo entero y la historia del cine jamás podrá olvidarle. Era un papel que nadie quería en Hollywood, un filme rechazado durante años por diversos estudios. No lo había aceptado ni Burt Lancaster, pero para Tony era perfecto, y gracias a su apoyo y a su enorme interpretación alcanzó un éxito desmedido y a Tony lo subió a lo más alto, llegando incluso a repetir nominación al Oscar en la categoría de mejor actor. También fue candidato al Globo de Oro y al BAFTA, y obtuvo el reconocimiento de La National Board of Review.

La película contó con un presupuesto bajísimo, cuatrocientos mil dólares que la United Artist gastó de los setecientos cincuenta mil necesarios para llevarla a cabo, y se rodó en blanco y negro, pero la fama del personaje fue tan grande que él llegó a admitir, no sin tristeza, lo mucho que eclipsó y eclipsa al resto de los papeles que figuran en su filmografía, ganadores de Oscar incluidos.

Estaba en su mejor momento profesional, que no personal, dado que el escándalo por su boda con Yolanda fue algo realmente sonado; pero las ofertas le llovían, aunque no tuvo demasiado éxito a la hora de elegir proyectos, sobre todo de cara a la taquilla, porque en 1965 protagonizó junto a James Coburn *A high wind in Jamaica*, una adaptación de la novela de Richard Hughes dirigida por Alexander Mackendrick, que no funcionó.

Más tarde, durante el rodaje de *The happening* (1967), confesó a un periodista que estaba escribiendo un guión titulado *Great guns*, con la intención de coprotagonizarlo con Mario Moreno, «Cantinflas», de quien hizo una curiosa observación: «Cantinflas ha sido el más grande en muchos países, pero en Estados Unidos no se le acepta, y yo, un actor mexicano, he sido aceptado en casi todos los países menos en mi México natal.» El proyecto era una comedia, pero no llegó a realizarse.

Sin embargo, sí hizo *The shoes of the fisherman* que en 1968 dirigió Michael Anderson adaptando otra novela, esta vez de Morris West, donde Tony interpretó al Papa ruso Kiril, que llega a Roma en los 80. Su talento quedó reflejado, aunque alguna crítica sarcástica dijo que su trabajo se resumía en un conjunto de medias sonrisas. Aparte, el filme no funcionó, fue un desastre en la taquilla y para su productora, la Metro Goldwyn Mayer. Pero también se trató de uno de los papeles más sobresalientes de su filmografía; demostró con él la gran capacidad que tenía para convertirse en uno u otro personaje.

Con los años de trabajo y las películas que iba sumando con él, no veía los frutos de una fama que no parecía merecerse ni de una cotización que no se reflejaba convenientemente en la taquilla. Sólo *The secret of Santa Vittoria* (1969), donde Stanley Kramer le dirigió, tuvo una mejor recepción por el público. Y además fue nominado al Globo de Oro como mejor actor de musical o comedia.

Al hablar de su personaje, Bambolini reconoce que «he conocido a muchos en Italia. He vivido en Italia muchos años y conozco bien a los italianos. Nunca se comprometen. Tienen una habilidad especial para sobrevivir. Es por eso que han perdido cada guerra pero ganado cada paz».

En ella tuvo de compañeras a Virna Lisi y Anna Magnani, actriz a la que recuerda muy bien como profesional pero no tanto como persona. Para él trabajar con Magnani era un lucha, una batalla, no se admitían fallos a la hora de decir los textos, y eso hacía que Tony la respetara en el plató y de hecho la prefiriera a otras actrices a la hora de ponerse delante de las cámaras.

Pero ni siquiera su trabajo junto a Ingrid Bergman en *A walk in the spring rain* (1970) fue capaz de levantar su carrera. De ella, de Ingrid, afirma que llegó a enamorarse, y ella a corresponderle, en la época en la que ya se había divorciado de Roberto Rossellini y acababa de casarse con el productor Lars Schmidt. Pero también le ocurrió que se enamoró de la hija mayor de la actriz, Pía Lindstrom, nacida del primer matrimonio de Ingrid, con Peter Lindstrom. A Pía la conoció una tarde de 1964, cuando la joven contaba veinte años, y se enamoraron nada más verse, aunque Tony afirma que no fue nada profundo, al menos en lo que a él concernía.

Ante tal situación se vio forzado a probar suerte en diversos medios: apareció en un documental sobre Marthin Luther King, «King: a filmed record... Montgomery to Memphis», y en la serie de televisión titulada *The city* (1971), y en ella dio vida a Thomas Jefferson Alcalá, político de origen español. Se trataba de una miniserie de dos horas que rodó en Albuquerque, pero tampoco resultó como esperaba, pese a recibir críticas estupendas, como la que le dedicó Kay Gardella en el *Daily News* de Nueva York, donde decía que Tony tenía la clase de personalidad fuerte que necesita la televisión de hoy en día.

The City se convirtió en el piloto de una serie que, con el nombre de *The man and the city*, ocupó trece semanas de las temporadas de 1971 y 1972, pero antes de que fuera cancelada pudo enorgullecerse de contar con grandes figuras de la historia del cine, como James Gardner, Shirley MacLaine, Tony Curtis o James Stewart. Pero Cleveland Amory, de *TV Guide*, lo tenía claro: «El mejor de todos era Anthony Quinn, que es un toro en una tienda china en el cine y en televisión incluso más grande. Interpreta como Zorba the Quinn. Se mete en el papel como un río que irrumpe y antes de que te des cuenta te ha arrastrado llevándose los obstáculos.»

Tony consideró que hacer la serie había sido como «pecar», pero llevaba año y medio sin trabajar y tenía dos casas que mantener: la de su ex mujer y la que entonces tenía en Roma con la actual. De la televisión afirma que lo único que le molestaba era tener los focos siempre encima, porque se hacen muchos más primeros planos que en el cine, pero que en esencia no era muy diferente y los cincuenta mil dólares que ganó por capítulo justificaron el sacrificio. No pensaba volver a hacer televisión, pero la haría.

La sola mención en el programa de Dick Cavett de su intención de producir y protagonizar una película sobre Henri Christophe, el emperador negro de Haití, dio lugar a una serie de reacciones nacidas en las páginas de las revistas y periódicos, como la carta que Ellen Holly le escribió al actor en el *New York Times* titulada «La historia de los negros no necesita a Anthony Quinn». Tony le preguntó entonces a Holly que por qué pretendía relegarle únicamente a papeles de mexicanos que tienen que morder el polvo y no podía interpretar a un indio, un griego, un italiano o un Papa. Y le añadió que sabía que su situación era extremadamente difícil, que era consciente de que lo que pretendía era más terrorífico que enfrentarse a un toro en el ring.

Los proyectos que realizó a continuación resultaron fallidos, como *Across 110th Street* (1972) y *Los amigos*, del mismo año, que rodó con Franco Nero, quien cariñosamente le llama «papá» desde entonces, y con otros que fallaron porque nunca llegaron a realizarse, caso de una adaptación de la novela de Ernest Hemingway «Across the river and into the trees» y la que hubiera constituido la segunda película como director del actor Marlon Brando tras *One-eyed Jacks* (1961), protagonizada por él mismo, Kart Malden y Katy Jurado. Dicho filme iba a contar la vida de un emperador negro de Haití.

Lo que sí hizo fue de «padrino» siciliano en *The Don is dead* (1973) y de policía antidroga en *The Destructors* (1974), filmes que sólo confirmaban la mediocridad en que se estaba hundiendo su carrera.

Comenzó a intervenir en producciones italianas (*Bluff storia di truffe e di imbroglioni* [1976]), sudafricanas (*Target of an assasin* [1976]) o libanesas (*The message* [1976]), rodada con producción árabe) para poder mantener a sus numerosos hijos. Sólo que dar vida en este último título a Al-Risalah, líder musulmán contemporáneo de Mahoma, le ofreció una nueva oportunidad como actor situado en primer plano de la actualidad, situación que mejoró cuando protagonizó junto a Jacqueline Bisset su último gran éxito, *The Greek Tycoon* (1978), biografía del armador, playboy y multimillonario Aristóteles Onassis, pero centrada en la época en la que se casó con Jacqueline Kennedy.

Fue éste un proyecto muy querido para él, dado que tuvo ocasión de conocer personalmente a la gran figura a la que interpretó y de prometerle que llevaría su vida al cine y de su mano. Aunque, además de en ese título, volvería a su figura diez años después en una serie de cuatro capítulos, coproducción hispano-norteamericana cuyo coste se elevó a siete millones doscientos mil euros: «Onassis: the richtest man in the world», esta vez con Francesca Annis en el papel de Jackie y con Tony interpretando al padre del armador, Sócrates. La serie, que contaba con una perfecta reconstrucción de los ambientes y de los personajes, obtuvo un grandísimo éxito tanto en Estados Unidos como en el resto de países donde se emitió.

Tony asegura que fue un personaje complicado. Que se fue de su casa a los diecisiete años, sin dinero; que empezó vendiendo tabaco y que, pese a la fortuna que amasó, no llegó a hacer nada importante en la vida, hasta en el amor fracasó, incapaz de estar toda la vida con la única mujer a la que de verdad quiso, María Callas. Según sus propias palabras, «más que el griego de oro, se podría decir que era el griego de barro».

Según sus propias palabras también, «una de las últimas ocasiones en que nos encontramos fue después de la muerte de su hijo Alejandro, cuando ya no era el hombre fuerte que yo había conocido sino un anciano derrotado por la pérdida de su hijo enfermo».

Gracias a Onassis pudo realizar otro sueño, *The children of Sánchez* (1978), pero el resultado fue fallido, a nivel artístico y a nivel comercial.

Y de nuevo se paseó por producciones exóticas.

En Irán rodó *Caravans* (1978), y en el Líbano, *Lion of the desert* (1980), de Moustapha Akkad, donde interpretó a Omar Mujitar, el llamado «león del desierto». Él consideró éste como uno de los más grandes papeles de su carrera.

No dejó de trabajar hasta el final, pese a su decisión, tomada a los setenta años, de ir dejando el cine poco a poco para dedicarse a la pintura y a la escultura, otras facetas de su vida como artista que le llenan tanto o más que el cine, y desde luego lo que sí le da es una mayor compensación económica.

La sinceridad con que afrontaba su retirada progresiva estaba basada en el hecho de que a su edad los papeles escasean y las opciones se limitan a interpretar a abuelos simpáticos, al viejo avaro o al viejo y honrado montañés: «Hay muchos viejos por delante, para un futuro.»

No dejaba de tener razón, pero en su caso, y hasta su última aparición en pantalla, en *Avenging Angelo*, fechada en 2002, aunque lógicamente rodada antes de su muerte, ocurrida el 3 de junio de 2001 para que él pudiera interpretar al Angelo Allieghieri del título, contó tanto con numerosas interpretaciones más, en cine y televisión, incluida una miniserie rodada en España, *Camino de Santiago* (1999), como con una diversidad de personajes que no se limitaban a mostrar al típico abuelito entrañable, dado que fue capo de la mafia en *Revenge* (1990) o en *Mobsters* (1991).

Completan su filmografía cintas que bien podían pertenecer al cine independiente americano, caso de *Jungla Fever* (1991) o al más comercial: *Last action hero* (1993).

El 22 de julio de 1993 nació Antonia, su doceava hija, nacida de su relación con Kathy Benvin, su secretaria desde hacía más de una década. La relación le costó su matrimonio de treinta y cuatro años con Yolanda, a la que un juez de Nueva York le ordenó pagar nueve mil quince euros al mes en concepto de manutención. El divorcio lo pidió ella dieciocho meses después del nacimiento de Antonia. Pero ella estaba rota. Le quería y fue muy feliz con él, pese a las continuas infidelidades del actor hacia ella, según su punto de vista, infidelidades que Tony siempre negó, hijos ilegítimos incluidos. De hecho, pensó en dejarle cuando descubrió que estaba teniendo una aventura con una mujer que trabajaba en el ropero de un hotel de Los Ángeles, y que había tenido un hijo con ella: tomó a sus hijos y se los llevó a Italia. Pero dio marcha atrás al darse cuenta de lo difícil y doloroso que era todo al plantearse el divorcio.

Tony entonces la llamó desde Los Ángeles para pedirle perdón. Nunca más se portaría mal. Ella deseaba creerle, por ella misma y por los niños.

Años después, en concreto en 1990, ante la necesitad de hacer un testamiento por la operación cuádruple a la que tuvo que someterse para implantarle un marcapasos, descubrió en él que reconocía ser padre de tres criaturas más de las que había tenido con Yolanda. Tony los calificó de accidentes biológicos, pero los reconocía porque no quería que tuvieran problemas con ella después de su muerte.

Admitía que la quería y que ella era la única mujer de su vida. Pero para Yolanda eso dejaba de tener un sentido completo cuando se enfrentó al enorme golpe de que tuviera una hija con la secretaria que entró en sus vidas después de que Tony despidiera a la anterior, que llevaba con ellos ocho años. La nueva, Kathy, entraba en casa todos los días y a Yolanda le caía muy bien. La había tratado durante años como a la hermana mayor de sus hijos, le había hecho regalos... para ella era una gran mujer. Una gran persona que la traicionó.

Durante un tiempo Yolanda sospechó que podría haber algo más y Tony lo negaba. Hasta aceptó dar el paso de despedirla, pero cinco años después, el que la hubiera seguido viendo a escondidas se revelaba como una realidad que completaba un rompezabeza en el que encajaba la ficha de que ni siquiera entonces, con la paz que tal situación fingida le daba y con el marcapasos recién implantado y dándole una nueva vida al actor, pudo Yolanda tener las vacaciones que tanto deseaba, dado que siempre había estado trabajando, hasta cuando Tony viajaba, porque cuando él rodaba, ella cuidaba de la casa, de las secretarias, viajando como gitanos, haciendo y deshaciendo belices... No era fácil ser su mujer, pero las cosas materiales no le importaban y nunca se preocupó por el dinero, porque a ella quien le preocupaba era su marido.

Sus hijos la apoyaron mucho en tan difícil trance. Querían a su padre y le respetaban, y en medio del dolor del abandono, se daban cuenta del esfuerzo que su madre había realizado para mantener a la familia unida, y se lo valoraban dándole ánimos y formando un equipo a su alrededor.

Y pese a ser una mujer muy religiosa que creía en el matrimonio, le daría el divorcio porque descubría entonces que no la había querido, que ella le hizo feliz en un momento dado en el que su anterior familia le había abandonado. Nada más.

Nunca dejó de pensar que Tony era un gran artista, pero sí dejó de creer que era un gran hombre, porque un gran hombre, según sus propias palabras, «si está casado, no va por ahí teniendo hijos ilegítimos». Pero es que además era extremadamente celoso, y la había mantenido prácticamente encerrada durante meses, no la dejaba salir por las noches, y por supuesto un hombre no podía decirle que era guapa porque era capaz de agredirle. Pero no le importaba demasiado tal situación, teniendo a los niños en casa o a alguno de sus hermanos para acompañarla.

Al cumplir los ochenta años, Tony se defendía de tan duras acusaciones: «Yo no la he abandonado. Ella no piensa en que hace unos años se encontraba en la misma situación en la que Kathy se encuentra ahora. Yolanda parece olvidar que cuando llevaba más de veinticinco años casado con Katherine, y después de haber tenido cuatro hijos, yo ya tenía dos hijos con ella, nuestros dos hijos mayores. En aquella ocasión lo comprendió bien, cosa que no parece ser igual ahora.»

Pese a todo, más de una vez confesó que Yolanda había sido la mujer de su vida, pero que el matrimonio se había roto mucho antes y lo único que les mantenía juntos eran los hijos, a quienes adoraba, aunque en esos momentos le doliera que no le entendieran y que le estuvieran juzgando. Porque él se había portado muy bien con ellos siempre, porque él había estado ahí para ellos cuando le necesitaron, y les había firmado cheques tanto para lo imprescindible como para los caprichos.

Por si su nueva relación se rompiera, firmaron un acuerdo por el que la custodia de la niña pasaría a manos del actor. Para él era un acuerdo lógico debido a la juventud de Kathy, cuarenta y nueve años menor que él: ella podría encontrar a otro hombre, pero Tony no estaba dispuesto a renunciar a la niña de sus ojos, a la única mujer que a él le constaba que le quería gratis. La reconoció desde que nació: «Es mi hija y tiene los mismos derechos que cualquiera de sus hermanos.» Le prometió a Kathy que no la abandonaría y que afrontaría sus obligaciones como padre. Quería verla crecer y estar con ella los años que Dios le diera de vida.

Por ese amor desmedido que sentía por su hija no dejó de comparar todos los otros que había tenido en su vida, incluido el que correspondió a su padre. Y si entonces surge la pregunta de, ¿ese amor tan incondicional se debe entre otras cosas a que nunca te castigó?, la respuesta habría que buscarla por otro lado, porque sí lo hizo, hasta le pegó, le encerró en un cuarto de su casa y le ignoró. Recordaba bien que una vez, una tarde como todas las demás, siendo él un niño que vendía periódicos en la estación de autobuses, esperaba a su padre para recibir los cinco centavos que le daba por él, pese a que costaba sólo tres. Lo vio bajar del tren, fingió no ver a su hijo, miró por encima de su hombro como buscando a alguien y siguió caminando calle abajo.

La preocupación y la extrañeza no le permitieron esperar a vender los periódicos que le quedaban. Le pidió a un compañero que le sustituyera y fue corriendo a comprarse y comprarle un racimo de uvas, adquisición, no ésa en concreto, sino cualquiera que fuera comestible, que también formaba parte del ritual. De ese modo, estaba seguro, todo se arreglaría.

Pero, sentado ya a la mesa cuando llegó, su padre ni miró la fruta. En su lugar, se limitó a dirigirle a su hermana todo su cariño.

Ante tan enrarecida atmósfera, su abuela le llevó a lavarse y a cambiarse de ropa.

Ahora sí. Cuando volvió a la mesa, su padre pareció verlo. Le saludó y le preguntó que dónde se había metido, que no le había visto en la estación, porque a quien únicamente había visto había sido a un sucio niño mexicano que le preguntó que si quería el periódico, pero aquél no era su hijo, porque su hijo podía ser pobre, pero nunca sucio. «Haga lo que haga, se alza con orgullo y parece un príncipe.»

Ésa era una de tantas lecciones. No fue la única memorable. A ésa se puede añadir la que le dio un sábado en que caminaban por el parque. Después de haberse parado a hablar con un par de amigos, se marcharon a un lugar a comer, con tan mala fortuna que la moneda de cincuenta centavos que llevaba se le cayó al sacarla del bolsillo. Su padre lo detuvo cuando se agachaba a recogerla y le dijo, mientras continuaban caminando, que no había dinero por el que valiera la pena agacharse.

O aquella que tuvo lugar cuando su padre se compró su primer coche. Era la única familia del barrio que tenía uno. Se lo había comprado a sus compañeros de Selig con un aumento que había recibido. La abuela de Tony estaba asustada. No creía que su hijo supiera conducirlo por mucho que a Francisco le ofendiera la duda. Su «Elefante» fue el primero en probarlo. Fueron a las colinas de Lincoln Park y en medio de la emoción su padre le dijo que algún día le enseñaría a conducirlo. Pero Tony respondió que no hacía falta, que lo había observado y que no parecía difícil.

Su padre, entonces, le retó a probar en ese mismo instante y Tony no lo pensó, pero cuando se vio con el volante entre las manos supo que no podría controlarlo, pero su padre le presionaba, el coche iba de un lado a otro, en cualquier momento podrían tener un accidente serio, y su padre continuaba impertérrito: «De ahora en adelante no digas que puedes hacer algo si en realidad no lo puedes hacer.»

Y encendió un cigarrillo mientras Tony procuraba alcanzar el freno. Al detenerse, su padre seguía con el cigarrillo en la boca. Le felicitó. «Lo hiciste muy bien. No creí que pudieses conducir», le dijo, y le preguntó que si quería continuar. La negativa de Tony no se hizo esperar; su padre tomó el volante y el viaje prosiguió como si nada hubiera pasado.

Aunque de las que más huella le dejaron, por tener lugar el incidente a muy corta edad, de hecho su madre estaba embarazada de su hermana, fue la ocasión en que su padre llevó a casa un bistec, ella lo preparó y lo dividió en tres partes. Pero el pequeño Tony no tenía suficiente con la suya, pidió más y su padre le puso las dos restantes.

Tony no pudo con todo y trató de dejarse lo que ya le sobraba, pero su padre no lo dejó: le obligó a comérselo todo aun no teniendo hambre, y el pequeño lo intentó, no sin antes ponerse a llorar. Se echó en la boca un par de trozos y se atragantó, y ni siquiera cuando comenzó a ponerse azul su padre dejó que su madre le ayudara. Él permanecía tranquilo, hasta que la situación se tornó extremadamente complicada y se levantó muy lentamente para cogerlo boca abajo y sacudirle. Una vez fuera de peligro, Francisco volvió a sentarlo y a preguntarle que si quería más. Tony, asolado por el miedo, le respondió que no. «La próxima vez asegúrate de que tienes cabida para lo que quieres, hijo. No llores y muéstrate agradecido por haber aprendido algo.»

Por esas pequeñas grandes cosas siempre adoró a su padre. Su madre las veía exageradas, pero él las entendía y, efectivamente, aprendió de ellas y las valoró, y eso le ayudó a aumentar el cariño y la devoción que siempre sintió por él.

Y a raíz de ese amor tan incondicional, tan enorme, sobre esa base tan sincera, juzgaría los demás que tuvo y tendría, y encontraba que el de su pequeña Antonia iba a ser el último y de los más importantes en ese momento de su vida.

Y como una de las últimas pasiones que era, quiso ofrecerle parte de lo que más amaba, que era Italia. Allí residió durante cuarenta años, allí tiene una casa-museo y tanto Anthony como Kathy solían hablar en casa en italiano. Por tanto el actor quiso que su hija se empapara de la cultura de aquel país, que había adorado y le había impresionado desde la primera vez que lo pisó. Así que llevaría a la pequeña a la Escuela Guglielmo Marconi de Nueva York, el único instituto bilingüe oficialmente reconocido en Estados Unidos.

También el mundo de la política le interesó: «México pareció tomar al principio el punto de vista de Pancho Villa y de Zapata, pero el PRI, el Partido Revolucionario Institucional, ¡que no es revolucionario ni es nada!, ha traicionado los ideales de la Revolución. ¡Ese partido debe ser olvidado! En México existe un gran problema: la gente es manipulada con absoluto descaro. Yo soy liberal, soy revolucionario y tengo un amigo que dentro de seis años se presentará a las elecciones y creo que entonces entraré en política para ayudarle, para contarle la verdad a la gente humilde. Creo que es algo que le debo a mi país.»

Años después, muchos amigos y dirigentes le pidieron que se presentara al cargo de gobernador de California, algo que él no estaba dispuesto a aceptar, pero de lo que tampoco podía reírse. «Esa gente necesita un líder de verdad; se pensó en proponer a César Chávez, pero ese hombre está haciendo un papel tan fabuloso que no tiene oportunidad de ganar. Yo preferiría un cargo en las Naciones Unidas, porque siempre fui muy internacional en lo que hice: en México me siento mexicano; en Estados Unidos, norteamericano, y griego, en Grecia. Por eso no me atrae mucho lo de gobernador: sería a nivel local y yo prefiero el internacional.»

Uno de los amigos a los que se refería era Frank Sinatra, que le aseguró que ganaría y que con ello iba a cambiar no sólo el Estado sino el mundo, porque él era un líder. Estuvo a punto de presentarse pero finalmente no lo hizo, y se alegró porque decía que de haber ganado habría estado acosado por los mexicanos, judíos, negros, norteamericanos y por los partidos políticos, «y yo soy un hombre libre que es de todos al mismo tiempo».

También pensaba, y a sus ochenta años confesó, que no había ninguna figura actual que él viera que mereciera la pena. De Mijail Gorbachov tenía un buen concepto, pero sentía que esa llama tan grande que veía que podría hacerle mayor se estaba apagando sin remedio.

Fue una de las cosas a las que dijo que no, a la política, como también a desvelar al auténtico asesino de alguien a quien quiso mucho: Kennedy. Sabía que no fue Oswald, pero nunca diría el nombre del verdadero culpable.

Al cumplir los ochenta, en 1995, recibió la Cámara de Oro, por toda una vida de trabajo, en Berlín, cobijado por Jodie Foster, Gerard Depardieu y Kathy, su compañera sentimental, embarazada entonces del que sería el último de sus hijos.

Por entonces Tony ya se estaba dedicando con gran intensidad a su pasión por la escultura y la pintura, heredadas de su madre, que de niña hacía dibujitos y aprendió a leer bordando las letras en las almohadas de las jóvenes que iban a casarse en el pueblo mexicano donde él nació.

Y es en su casa de Italia donde se sentía más escultor, donde daba más rienda suelta a su pasión, a lo que él se sentía más apegado y lo que a él más le gustaba hacer, de corazón. Le encantaba Italia para crear.

Empezó a pintar a los diez años, firmando con el apellido de su madre, Oaxaca. Su primera obra fue la lápida y la cruz que hay en la tumba de su padre. Poco después consiguió diez dólares para entrar al recinto donde se celebraba un concurso de escultores en California. La figura que esculpió, su querido Lincoln, personaje que por cierto nunca interpretó, le hizo ganar el primer premio. Cuando subió a recogerlo nadie le aplaudió. Le vieron muy pequeño y pensaron que estaba allí en representación de su padre, pero le dieron sus doscientos dólares.

No fue ése el único premio que logró desarrollando sus otras facetas artísticas. Ganó otro, de un periódico, con un dibujo, y ése se lo entregó Douglas Fairbanks.

Fue precisamente de él, y de nadie más que de él, de quien recibió una nota de agradecimiento, con un escueto «Gracias» acompañado por un billete de diez dólares como respuesta al dibujo que le envió, hecho con lápices de colores y copiado de una fotografía. Hizo lo mismo para las mayores estrellas Hollywood, pero de ningún otro obtuvo nunca respuesta.

También coleccionaba piedras que para él tenían un gran valor, pero sobre todo no cesaba de hacer esculturas y de preparar exposiciones para exhibirlas.

Y además adoraba la naturaleza y sus colores. Por eso le gustaba tanto España, Goya, Velázquez, Picasso, a quien tenía la clara intención de dar vida, en el cine o en el teatro, para contar sus últimos años, puesto que «en su ocaso fue el más espléndido, el mejor, creador de cientos de esculturas y cuadros entre los ochenta y los noventa»; Miró, Dalí y tantos otros.

Pero a esas alturas de su vida aún buscaba un sitio donde vivir con su familia, junto al océano Pacífico o el Atlántico, en una casa grande, en un parque grande, donde pudiera correr su hijita.

A la muerte no la temía, la esperaba; aunque no tenía ninguna prisa en que llegara porque le quedaban muchas cosas por hacer, entre ellas ver crecer a su pequeña, y que ella conociera junto a él la verdadera identidad del padre que años más tarde iría descubriendo como actor, como hombre y como persona.

Pero había que afrontarla. Y había dicho a sus hijos que no le importaba que, entonces, lo colocaran en un monte del norte de México, como a los indios. Pero lo que él quería de verdad era que le enterraran en su casa.

Decía que Edith Piaf le había dicho que le gustaría morir en un escenario, así que él aplicaba esas mismas palabras a su existencia y confesaba que para él la vida entera, el mundo, era su escenario. Por le tanto sólo la muerte le podría bajar de él.

Y ocurrió cuando tenía ochenta y seis años, en un hospital de la ciudad norteamericana de Boston. Un fallo respiratorio fue la causa de la muerte.

El alcalde de la ciudad de Providence, en el Estado de Rhode Island, donde el actor vivía desde hacía años, fue el encargado de confirmar la noticia cuando se produjo y afirmó, como amigo suyo que además era, que Tony «era más grande que la vida». También Gina Lollobrigida lo definió como «un monstruo sagrado imposible de sustituir», y su amiga y compatriota Katy Jurado dijo de él que era uno de los mejores actores del mundo.

Su hijo Lorenzo afirmó que había perdido a un gran padre, a un mito y a una gran leyenda.

Finalmente, lo enterraron en su casa de Rhode Island el día 9 de junio, en el jardín, tal como él quería. Primero celebraron una misa en la iglesia baptista, a la que asistieron casi todos sus hijos y por supuesto Kathy, que fue la encargada de leer unas palabras en su memoria. Luego situaron su cuerpo bajo un árbol, pero el público no podrá visitar su tumba, ya que se encuentra en una propiedad privada.

Admitió en varias ocasiones haber fracasado con las mujeres, pero donde nunca pudo admitir que fracasó fue en el cine, en el teatro, en la televisión, en su trabajo como actor. Nos dejó interpretaciones memorables y la evidencia de que, de haber tenido más suerte en la Meca del cine, de haber tenido acceso a interpretar una mayor cantidad de largometrajes de auténtica calidad y prestigio, de haber conseguido una carrera menos irregular, su nombre resonaría, si cabe, aún con más rotundidad.

Pero el tiempo y la historia siempre le han dado la razón y le han situado como un actor que merece un lugar entre los mejores, entre los grandes, a los que él tanto admiraba y quería, y que fueron sus propios compañeros, con los que trabajó y que le ayudaron, que se dieron cuenta de su enorme valía y le apoyaron para que pudiera desarrollar todo el potencial que hoy en día no dudamos en admirar en filmes ya citados, donde la estrella daba una entrañable imagen de cercanía, una proximidad que conseguía que el espectador tuviera la sensación de que le conocía de toda la vida, de que era su vecino de al lado, alguien junto al que pasar una maravillosa velada jugando al ajedrez, como podemos verlo en una fotografía del rodaje de *The savage innocents* (1959).

Un actor que era consciente, al final de sus días, de que Hollywood había cambiado, de que los papeles que le llegaban en los últimos años no habían sido serios. De hecho, los calificó de «pura basura». Pero también era capaz de ver oro en medio de tanta mediocridad, y así, señalaba a Jack Nicholson como el mejor actor de la actualidad, y a Keanu Reeves como una figura emergente con la madera suficiente para convertirse en estrella.

El 3 de junio de 2001 nos dejó Anthony Quinn. Antonio Rodolfo Oaxaca Quinn. Un cáncer le robó la vida que había exprimido al máximo como hombre y como artista. Anthony había sido el hombre que probó a serlo casi todo en la vida. Trabajador incansable en busca de su propio lugar en el mundo, supo encontrar a tiempo, para satisfacción de su incondicional público, el pasado, presente y futuro, la profesión definitiva que le llevaría a los altares del arte, el séptimo en concreto, aunque no le hubiera disgustado el haberse convertido en una grandísima figura de números artísticos más bajos. Más bajos, eso sí, sólo porque su aparición o descubrimiento así lo fueran marcando.

Fue casi todo antes de serlo todo.

Y a lo largo de ese camino, necesario y a veces doloroso, para descubrir qué oficio de cuantos pueden escogerse se ajustaría más a la medida de su talento, tuvo la humildad de no vestir nunca de soberbia la grandeza que llevaba dentro.

SEGUNDA PARTE
Filmografía

CAPÍTULO PRIMERO

Los adjetivos que se le suelen dedicar más frecuentemente al recorrido profesional de Anthony Quinn en la pantalla grande son *dinámico* y *prolífico.* Estas dos palabras definen a la perfección la labor del actor en su dilatada trayectoria cinematográfica, que le llevó a ser una de las primeras figuras mexicanas en la industria del cine norteamericano cuando Hollywood todavía era calificado como *dorado* y las películas que allí se hacían tenían un aire hoy mítico de cosa mágica y maravillosa.

En aquellos primeros tiempos, Anthony Quinn, cuya filmografía se inicia en el año 1936 con varios largometrajes en cuyos créditos ni siquiera figuraba su nombre, supo ingeniárselas para abrirse paso, primero en papeles secundarios de marcado componente racial, sino directamente racista (es conocida la nula predisposición del cine norteamericano respecto a las influencias procedentes de otras culturas, y su maniquea forma de entender lo ajeno como peligroso, por desconocido); más tarde hasta un estrellato que le llevó a ser uno de los rostros más populares del cine americano desde su facilidad para resultar tan humano y proteico como alguno de los personajes que mejor le han definido en la pantalla, como el payaso Zampano de *La Strada,* el pintor Paul Gauguin que interpretó junto al Van Gogh de Kirk Douglas en *Lust for life (El loco del pelo rojo),* el matador de toros Luis Santos de *The magnificent matador (Santos el magnífico),* el millonario Alexis Zorba de *Zorba, the greek (Zorba, el griego)* o, ya en la etapa más tardía de su filmografía, el mosén Joaquín de *Valentina.*

No es extraño que en la riqueza de personajes acumulada a lo largo de sus más de sesenta años de filmografía, Anthony Quinn acabara creando en la mente de los espectadores, críticos, productores y profesionales del cine en general una idea de sublimada magnificencia que facilitó la llegada a su agenda como actor de personajes históricos, desde Onassis hasta el fabricante de violines Antonio Stradivari, pasando por algún que otro capo mafioso de singular relevancia en la crónica negra del paisaje urbano norteamericano, y rematando en el propio padre del mítico héroe Hércules, esto es, el no menos mítico señor del Olimpo griego, Zeus, personaje al que Quinn aportó una divertida visión de la reiterada falibilidad humana que calificaba a los dioses de la antigua Grecia en la serie de televisión protagonizada por Kevin Sorbo.

En esos sesenta años de carrera que comentaremos a continuación, Anthony Quinn interpretó ante las cámaras casi cualquier tipo exótico o étnico que se le pudiera ocurrir a los guionistas de Hollywood, convirtiéndose así en un punto de referencia obvio para todos los actores no sólo mexicanos sino incluso italianos, franceses, alemanes, españoles, cubanos y latinoamericanos en general que intentaron, intentan e intentarán abrirse paso en las complejas entrañas de ese monstruo a veces intratable, otras veces entrañable, siempre mítico y, en cualquier caso, comercialmente poderoso que es el cine estadounidense.

En el año 2002, un documental titulado *The bronze screen: 100 years of latino image in american cinema (La pantalla de bronce: 100 años de imagen latina en el cine americano)*, en el cual aparecía ilustrando varias secuencias como él mismo en imágenes de archivo, rendía a este actor fundamental el renovado homenaje que cada espectador aficionado al cine le ha venido dedicando a lo largo de sus muchos años de trabajo ante las cámaras.

Frecuentemente, Anthony Quinn, que podía ser considerado un secundario por los productores del cine norteamericano, era sin embargo valorado como una estrella por los espectadores de todo el mundo. Importaba poco que encarnara a un jefe guerrero árabe, como en *Lawrence of Arabia (Lawrence de Arabia);* a un pistolero del Lejano Oeste, como en *Warlock (El hombre de las pistolas de oro);* o a un héroe de la resistencia griega durante la Segunda Guerra Mundial, como en *The guns of Navarone (Los cañones de Navarone)*. En cualquiera de esos personajes secundarios, el público apreciaba a una estrella capaz de imponerse en cada escena con los protagonistas del filme, apoyado en el que fue posiblemente el mejor báculo de toda su trayectoria en la pantalla grande: representar al propio espectador.

Anthony Quinn tenía la rara capacidad, que poseen pocos actores, de conseguir que el público no sólo creyera en él casi ciegamente, en casi cada uno de sus personajes como actor, sino que además conseguía que el espectador medio, ese que se deja el dinero en la taquilla y precisamente por ello es voz sobradamente autorizada para juzgar el trabajo de los actores y las estrellas, se identificara con él, le tomara como punto inmediato de referencia en el momento en que hacía su aparición en la película. Merced a ello, Anthony Quinn era alguien de la familia, una estrella mucho más cercana a nosotros que otros astros del celuloide; era nuestro representante allá arriba, en la pantalla grande, en el olimpo de celuloide. Desde ese punto cumplía una función muy similar a la de los semidioses que habitaban la mitología griega: vivía entre los dioses (de celuloide), como un Hércules que se hubiera abierto paso hasta allí haciendo uso de su fuerza imparable, pero, a pesar de codearse con la flor y nata de las estrellas de Hollywood, seguiría siendo alguien de aquí abajo, esto es, seguiría siendo humano.

Por eso mismo, en los años que han pasado desde su muerte, los que gustamos de acudir al cine para divertirnos, pasar el rato, quizá pensar y reflexionar un poco, hemos echado mucho de menos a Anthony Quinn. En cierto modo, es como si hubiéramos perdido a un amigo infiltrado en el mitológico territorio de la historia del cine. Le extrañamos porque en el fondo nos reconocíamos un poco en él, y lo que nos falta es ese algo de nosotros mismos, ese rasgo de humanidad, que presidió toda su filmografía.

Capítulo II

— Indio y gángster sin acreditar —

Papeles pequeños como figurante para arrancar su carrera cinematográfica: tal fue el objetivo perseguido por Anthony Quinn en sus primeros años en Hollywood. Tras tratar con la vida de distintas formas y ganarse el sustento de muchas maneras, después de probar suerte en varias ocupaciones y oficios, Anthony buscaba el camino hacia el cine en un momento, la segunda mitad de los años 30, en el que la industria de Hollywood todavía vivía el eco de la revolución dramática que había supuesto la introducción del sonido en las películas. Dramática porque muchas de las estructuras, estrellas y convecionalismos del cine mudo habían dejado de existir con el cambio de esquemas, y también porque el paso del mudo al sonoro había sido un cambio de era en la forma de concebir y hacer las películas.

Anthony Quinn fue testigo de esos cambios que se iban operando en la industria norteamericana del cine, trabajando en su primera aparición cinematográfica con Harold Lloyd, uno de los grandes astros de la comedia del cine mudo, la denominada *slapstick comedy,* cuyo nombre derivaba de un instrumento compuesto por dos planchas de madera utilizado por los payasos de circo para hacer ruido en el momento de propinarse sus falsos golpes.

Lloyd había iniciado su carrera trabajando como extra en varios seriales de la Universal, como *El mago de Oz,* y empezó a trabajar como actor cómico en cortometrajes en el año 1914, iniciando su trayectoria en el campo del largometraje en el año 1921. Vivió su época dorada como actor, productor y director entre 1924 y 1928, fecha ésta en la que produjo y protagonizó su última película muda, *Speedy (Relámpago)*. Después llegó el momento de su decadencia. Lloyd había sido uno de los cómicos más imaginativos de la etapa del cine mudo, pero no supo adaptarse al sonoro, que empezaban a poblar criaturas imparables como los Hermanos Marx, capaces de aportar a la pantalla toda la parafernalia de humor físico de la *slapstick comedy* junto con su imparable habilidad para lanzar diálogos vertiginosos plenos de humor absurdo, liderados por ese maestro de ceremonias del sarcasmo que era Groucho Marx.

En 1936, Anthony Quinn encontró a un Harold Lloyd devaluado que intentaba mantenerse a flote como astro del humor en las turbulencias de los primeros años del cine sonoro. La película se tituló *The milky way (La vía láctea)*, y la dirigieron dos de los más destacados realizadores del cine de humor norteamericano, Leo McCarey y Norman Z. McLeod. Éste rodó algunas escenas de la película cuando McCarey tuvo que interrumpir su trabajo en la misma por motivos de salud, pasando una temporada en el hospital.

El filme era la adaptación de una obra de teatro de Lynn Root y Harry Clork. Su protagonista era un tímido lechero, interpretado por Lloyd, que de buenas a primera se ve convertido en boxeador y tiene que subir al cuadrilátero para medirse con auténticos púgiles capaces de destrozarle con un solo golpe. Anthony era sólo un extra más entre los muchos que participaban en el filme, y había conseguido el papel merced sobre todo a su actividad como boxeador auténtico, que le cualificaba para aparecer en esta comedia relacionada con el mundo del pugilismo, en la que también aparecían Adoplhe Menjou, Helen Mack y Lionel Stander, quien muchos años más tarde iba a conseguir cierta popularidad mediante la serie de televisión *Hart to Hart (Hart y Hart)*, protagonizada por Robert Wagner y Stephanie Power, interpretando al mayordomo de los protagonistas.

Calificada por algunos estudiosos del cine cómico como una pequeña joya del género, esta película contenía una serie de gags impecablemente concebidos, y años más tarde fue recuperada en una nueva versión en color, protagonizada por Danny Kaye con el título de *The Kid from Brooklyn (El asombro de Brooklyn),* en la que McCarey volvió a ejercer como realizador. Lamentablemente, la película ilustra como ejemplo una de las costumbres más deleznables practicadas por el productor Samuel Goldwyn, de la Metro Goldwyn Mayer, quien adquirió a mediados de los años 40 a la Paramount no sólo los derechos de adaptación del filme protagonizado por Harold Lloyd, sino el negativo y todas las copias que pudo encontrar, de manera que, cuando empezó a preparar el *remake* o nueva versión, hizo destruir todo rastro de *La vía láctea* para que no pudiera hacerle sombra alguna a su nuevo producto.

El siguiente paso del actor en los paraísos e infiernos del celuloide se tituló *Parole (Los buitres del presidio),* dirigida también en 1936 por Lewis Friedlander. En esta ocasión su personaje tenía al menos nombre, Zingo Brown. Película de ámbito carcelario, su único aliciente era la presencia en el proyecto como guionista de uno de los grandes autores de la novela negra, Horace McCoy, quien participó en la primera ola de escritores de relatos policiales incorporados a los equipos creativos de Hollywood para aportar su dominio de la palabra al recién estrenado cine sonoro, gentes como Dashiell Hammett o William Riley Burnett, que sentaron las bases de lo que luego iba a ser denominado *novela negra* y *cine negro* en sus vertientes *hard boiled* (historias sobre corrupción política y policial principalmente) y *crook story* (historias protagonizadas por gentes del mundo del crimen, entre las que cabe incluir esta producción).

La tercera película en la carrera de Quinn fue *Sworn enemy,* dirigida por Edwin L. Marin en 1936. Producida por Metro Goldwyn Mayer, la película, que tuvo escasa distribución comercial fuera del territorio estadounidense, cuenta las investigaciones llevadas a cabo por un joven, su novia y su padre, en relación a las bandas de criminales organizadas para practicar la extorsión. Entre los gángsters de la película se advierte brevemente la presencia de Anthony Quinn, quien tampoco en esta ocasión consiguió aparecer en los créditos.

El actor volvió a interpretar a un matón entre los actores de relleno, prácticamente como figurante, de *Nightwaitress,* dirigida por Lew Landers en 1936. Protagonizada por una masera que acaba de salir en libertad concidional pero no tardará en volver a verse mezclada con el mundo del crimen, era una policíaca de serie negra sin grandes alardes, pero curiosa para los aficionados al género, principalmente por el abordaje de su argumento, rotando desde el más habitual protagonismo masculino al protagonismo femenino, que le presta a la historia un cierto aire de melodrama.

A esas alturas de su merodeo por Hollywood, Anthony Quinn estaba dispuesto a cambiar su papel como figurante sin crédito para subir un peldaño en la escalera profesional ejerciendo como actor secundario, cosa que hizo firmando contrato por la Paramount, productora en la que permaneció hasta el año 1940 encasillado en papeles de gángster e indio, alternativamente.

Capítulo III

— Su nombre en el reparto —

Su primer papel como actor propiamente dicho fue el de un guerrero indio de las praderas del norte de los Estados Unidos que aparecía brevemente en *The plainsman (Buffalo Bill)*, dirigida por Cecil Blount De Mille. El realizador había elegido a Quinn por su aspecto, y no tenía intención de darle ninguna frase de guión ni la menor importancia más allá de una escena en la que vigilaba atentamente al protagonista de la película, Gary Cooper. Sin embargo, Anthony Quinn se empeñó en caracterizarse cuidadosamente como un nativo americano, con pinturas de guerra, plumas, etcétera, y se tomó la escena tan en serio como si fuera la oportunidad más importante de toda su carrera.

Curiosamente, lo fue. Aquel personaje de indio no progresó; de hecho, en su cuidadosa interpretación del mismo, Quinn consiguió enojar al realizador de la película y estuvo a punto de ser despedido, ya que era poco más que un elemento de figuración tan interesante para De Mille como cualquiera de los árboles falsos colocados en el no menos falso decorado construido en el estudio de Los Ángeles para recrear los paisajes más bellos por los que cabalgó el mítico Buffalo Bill. A pesar de su función «prescindible», Quinn obligó a De Mille a repetir la toma varias veces, ya que en su obsesión por la perfección se equivocaba reiteradamente. Finalmente, la toma salió adelante y, lo más inesperado, Quinn acabó liándose sentimentalmente con la hija del realizador, hasta llegar incluso a casarse con ella (ver biografía).

La película recreaba, muy libremente, las aventuras y romances de tres leyendas del Lejano Oeste: el pistolero Wild Bill Hickcok, interpretado por Gary Cooper; Juana Calamidad, encarnada por Jean Arthur, y Búfalo Bill, a quien dio vida James Ellison. En el relato aparecía también el general George Armstrong Custer y el presidente Abraham Lincoln, poniendo de manifiesto el poco respeto a los hechos históricos que manifestaba De Mille cuando se trataba de poner en pantalla una de sus peripecias épicas y de propaganda de las leyendas de los Estados Unidos, que ocuparon la parte más interesante de su filmografía junto con las fábulas bíblicas teñidas de erotismo soterrado por las que pasó a la historia (películas como *Sansón y Dalila, Los diez mandamientos,* etcétera).

Hacer el indio delante de su futuro suegro no le reportó un lanzamiento inmediato como actor a Quinn, a juzgar por sus posteriores ocupaciones cinematográficas. En 1937 el actor interpretó un papel muy secundario en una comedia de ambiente musical, *Swing high, swing low (Sucedió en el trópico),* dirigida por Mitchell Leisen y protagonizada por Fred McMurray y Carole Lombard. El primero interpretaba el papel de un soldado a punto de licenciarse que conoce a una cantante norteamericana en un club nocturno de Panamá, personaje interpretado por Lombard, y tras participar en una pelea de taberna que se salda con la pérdida de trabajo y del barco a los Estados Unidos para la muchacha, acaba por triunfar como trompetista, estropeando las relaciones de la pareja.

A renglón seguido, Quinn fue convocado para tomar parte en *Waikiki wedding,* una comedia musical protagonizada por Bing Crosby y dirigida por Frank Tuttle. Acumulación de tópicos y lugares comunes, que no aportó a la carrera de Anthony más que unos dólares y otro papel secundario que se vio secundado prontamente por otro encargo sin aparición en los créditos titulado *Under strange flags,* dirigida por Irving Willat, en el que se aportaba una visión de puro estereotipo étnico del revolucionario mexicano Pancho Villa, a uno de cuyos soldados interpretaba el protagonista de este libro. El tópico fue una vez más la nota dominante en esta producción de corto presupuesto concebida dentro de los términos de la serie negra y en el marco del género western, en el que tanto juego ha dado a los guionistas de Hollywood la idea de pasar al otro lado de la frontera con México para representar el viaje hacia la aventura.

El encasillamiento racial también facilitó a Quinn su siguiente trabajo ante las cámaras, *The last train from Madrid,* una fábula sobre la Guerra Civil española dirigida por James P. Hogan. Se daba la circunstancia de que el conflicto suscitaba emociones encontradas entre los creativos y los productores de Hollywood. Los guionistas, los directores y buena parte de los actores eran firmes partidarios de la República, o al menos así lo expresaban en sus creaciones, en tanto que los magnates de los estudios de producción mantenían una posición poco definida, neutral, a la espera de cómo se fueran desarrollando los acontecimientos en la guerra de España, y con un ojo puesto en los mercados comerciales establecidos en países donde gobernaban regímenes vinculados al ejército nacional de Franco, como la Alemania de Hitler o la Italia de Mussolini. Por otra parte, la propia ciudadanía norteamericana se mantenía dividida respecto a la valoración de los acontecimientos que se estaban sucediendo en Europa, anticipo de un conflicto de más largo alcance, la Segunda Guerra Mundial, en el que inicialmente los Estados Unidos iban a mantener una postura de neutralidad rota tras el ataque japonés de Pearl Harbour.

La necesidad de ambientación «española» de la película facilitó la inclusión en su reparto de Gilbert Roland, actor nacido en Ciudad Juárez, México, el 11 de diciembre de 1905, y cuyo verdadero nombre era Luis Antonio Dámaso de Alonso. Roland había elegido su nombre artístico como homenaje a sus actores favoritos del cine mudo, John Gilbert, al que ciertamente le unía cierto parecido físico, y Ruth Roland.

Apodado «Amigo» por sus compañeros de Hollywood, Gilbert Roland debutó en el cine en el año 1925, interpretando un pequeño papel de figurante en la primera versión de la aventura con dinosaurios adaptada de una novela de Arthur Conan Doyle, *The lost world (El mundo perdido).* Tenía por tanto una trayectoria más amplia que la de Quinn en el momento en que se encontró con éste, que iba a convertirse en breve plazo de tiempo en uno de sus competidores naturales para los papeles de corte étnico que se daban en el cine estadounidense. De hecho, Roland era una figura de cierta popularidad en el Hollywood mudo, gracias a su enredo sentimental con la actriz Norma Talmadge, una rutilante estrella del cine silente, que según se afirmaba había provocado el divorcio de ésta de su marido, el productor Joseph Schenck. Posteriormente se le adjudicaron nuevos romances, realzando su imagen de «amante latino», que se adornó con su matrimonio con la actriz Constance Bennett el 20 de abril de 1941, terminado en divorcio el 13 de junio de 1945.

Las paradojas del estrellato en Hollywood, que no respeta turnos, hicieron que el novato Quinn alcanzara con el paso del tiempo mayor proyección internacional que Gilbert Roland, si bien es cierto que este último continuó siendo uno de los secundarios más destacados de Hollywood durante varias décadas, dejando su impronta en algunos títulos que han pasado a la historia del cine como auténticos clásicos.

Partners in crime, dirigida por Ralph Murphy, y *Daughter of Shangai,* de Robert Florey, prosiguieron la colección de personajes secundarios con que Anthony Quinn dio sus primeros pasos en el cine, pero finalmente Cecil B. De Mille le dio una nueva oportunidad adjudicándole un papel de pirata en una de sus producciones épicas, *The Buccaneer (Corsarios de Florida).*

Producida por la Paramount en blanco y negro, la película narraba la historia de Jean Lafitte (Fredric March), un pirata que, durante la guerra de las colonias norteamericanas contra Inglaterra en 1812, contribuyó apoyando al presidente estadounidense Andrew Jackson, poniendo al servicio del mismo todas las fuerzas que previamente había utilizado para apropiarse de lo ajeno saqueando barcos y costas. En el reparto había varios nombres célebres de la pantalla grande en aquel momento, como Akim Tamiroff, Walter Brennan, Beulah Bondi o Montagu Love, y entre ellos, en un papel de pirata que le venía como anillo al dedo, se encontraba Anthony Quinn, codeándose finalmente con las estrellas.

Fue estructurada como el habitual espectáculo épico organizado con todo lujo de detalles por De Mille. No en vano entre los guionistas de la película destacaba la presencia del hijo del principal ejecutivo de la productora, Jesse Lasky Jr., quien colaboró en dicho

Anthony Quinn.

El día de su boda con la hija de Cecil B. de Mille.

Caracterizado como un guardia civil.

Con el Oscar que recibió por *El loco del pelo rojo.*

En su genial interpretación de *Zorba, el griego.*

Quinn, durante una entrevista.

Fotograma de *Las sandalias del pescador.*

Quinn, árabe en *Caravana.*

campo con Alan Le May y Jeannie McPherson. Tal como era habitual en el cine de De Mille, la película hacía una mezcla un tanto altanera y sin duda muy libre de los acontecimientos históricos que retrataba, de manera que la contribución de la piratería a la causa de la rebelión americana quedara finalmente como uno de los actos heroicos en el nacimiento de los Estados Unidos. Entre otras curiosidades, De Mille se empeñó en convencer al director Ernst Lubitsch para que interpretara el papel de Napoleón en el filme, y aunque no lo consiguió, esto nos da una idea del aire de festiva celebración que presidía el rodaje de esta saga épica marcadamente patriótica. Duelos a espada y combates en el mar garantizaban el espectáculo a esta historia de piratas poco conocida en fechas recientes, pero que merecería la pena recuperar, si bien es cierto que no alcanza la calidad conseguida por otras películas del realizador o por otras muestras del mismo subgénero, como por ejemplo las peripecias piratescas protagonizadas por Errol Flynn o Tyrone Power.

Más allá de su contribución a esta producción como actor secundario, la película tiene un significado muy especial para la carrera de Anthony Quinn, ya que fue con un «remake» o nueva versión de la misma como el actor probó suerte en la silla del director años más tarde. En 1958, uno de los proyectos más interesantes para Cecil B. De Mille era hacer una nueva versión de esta producción utilizando el color y con nuevos actores, como Yul Brynner en el papel de Lafitte y Charlton Heston interpretando el personaje de Andrew Jackson. En principio el director encargado de realizar esa nueva versión iba a ser Budd Boetticher, pero finalmente De Mille, que en esta ocasión prefería implicarse en el proyecto sólo como productor, acabó aceptando la sugerencia de Anthony Quinn sobre la posibilidad de que la película se convirtiera en su debut como realizador. Adornada con un lujoso diseño de producción que realzaba su carácter como espectáculo de cine de aventuras, el rodaje de la nueva versión de *The Buccaneer (Los bucaneros)* fue recordado en algunas líneas de la autobiografía de Charlton Heston, quien trazó el perfil de la situación en pocas pero contundentes palabras: «De Mille, cansado y enfermo, deseaba dirigir la película y Anthony Quinn quería hacerla a su modo, sin interferencias.» Heston elogió especialmente la honradez con que Quinn enfrentó ese primer proyecto como director, pero tanto el protagonista de la película, Yul Brynner, como el resto de los actores se mostraron descontentos con el trabajo realizado por Anthony en su faceta como realizador. Cecil B. De Mille tampoco estaba contento con los resultados.

Ciertamente la crítica tampoco prestó su apoyo al trabajo de Quinn como realizador, considerando que le había salido una película tocada por cierta apariencia mecánica en la que sólo esporádicamente brillaban algunas secuencias de acción, y que básicamente se sustentaba sobre las espaldas de Brynner y la breve aparición de Heston. Sin embargo, con el filtro del tiempo, y a pesar de su maniqueo uso de los tópicos del género en el que se encuadra, *Los bucaneros* es un entretenido espectáculo para todos los públicos en el que se percibe el esfuerzo de Quinn por intentar aportar su visión personal al tipo de cine que se hacía en Hollywood a finales de los años 50, sin dejarse influir radicalmente por la figura de su suegro y por los logros de éste en ese tipo de producciones épicas. No obstante, en su resolución final se advierte una preponderancia de los decorados de estudio que lastran las imágenes con un aspecto estólido perjudicial para el concepto de peripecia aventurera que propone el filme, consecuentemente envejecido más de lo habitual con el paso del tiempo, y en algunos momentos abiertamente caduco.

El recorrido de Anthony Quinn por el cine continúa con una serie de produciones que podemos considerar como las menos interesantes de su filmografía como secundario, películas como *Dangerous to know,* de Robert Flore; *Tip-Off Girls, Hunted men* y *Bulldog Drummond in Africa,* todas ellas dirigidas por Louis King, o *King of Alcatraz,* nuevamente a las órdenes de Florey. En todas ellas las apariciones de Anthony Quinn son episódicas, breves, y claramente obedecen al habitual periodo de prueba a que eran sometidas todas las estrellas del cine de la época como medio para que se entrenaran de manera práctica ante las cámaras. Por otra parte, se trata de títulos que raramente han sido exhibidos en salas comerciales fuera de los Estados Unidos, y a los cuales su limitada calidad como producciones de serie negra les otorga la categoría de «rarezas» a la hora de repasar la filmografía completa de este actor que afortunadamente cuenta con películas mucho más interesantes y decisivas para la historia del cine en décadas posteriores.

Tras un año tan anodino para Quinn como 1938, que pasó como uno de los paréntesis menos sugestivos de su carrera ante las cámaras, y cuando el propio actor empezaba a hacerse preguntas sobre su carrera, habida cuenta de las pobres ofertas que le llegaban desde los estudios, otra película más vino a sumarse a la colección de los títulos que podríamos calificar como «alimenticios» dentro de su filmografía, *King of Chinatown*, una más de sus apariciones como delincuente, dirigida por Nick Grinde, y a la que siguió otra entrega épica de la factoria De Mille, *Unión Pacific (Unión Pacífico).*

Esta producción fue una de las más aplaudidas en la carrera del director, que consiguió críticas muy favorables con esta producción, tocada además por la magia del éxito en la taquilla, tanto en Estados Unidos como en el resto del mundo. En Europa, el crítico George Saoul no dudó en aquel momento en calificarla, quizá un tanto prematuramente, por cuanto era contemporánea de *Stagecoach (La diligencia),* de John Ford, como «Uno de los mejores westerns de todos los tiempos».

El pretexto argumental de la película era la construcción de los grandes tendidos de líneas ferreas en el agreste paisaje estadounidense, hasta unir los dos extremos del país. Esta gesta épica se prestaba a la perfección a los intereses de De Mille por fabricar un cine espectacular, pasando de la anécdota histórica a la vida privada de sus personajes, donde se entrelazaban las declaraciones de principios patrióticos más epidérmicas con los enredos románticos del triángulo protagonista, compuesto por Joel McCrea, Barbara Stanwyck y Robert Preston. No en vano se le ha atribuido al realizador una frase que quizá nunca llegó a pronunciar realmente, pero que sin duda sirve para definir cuál era su concepto de la narrativa cinematográfica: «Una película debe empezar con un terremoto y, desde ahí, seguir hacia arriba.»

La que no iba hacia arriba, y tampoco había empezado precisamente con una convulsión con características de terremoto, esto es, capaz de convulsionar Hollywood y ponerle en el punto de mira de los cazadores de talentos, era la carrera de Anthony Quinn en la pantalla grande. Tal parecía que su vida como actor iba a limitarse a encadenar papeles secundarios de relleno en producciones de escaso presupuesto, interpretando reiteradamente indios, gángsters, pistoleros y maleantes de siniestra catadura, mero adorno maniqueo para aderezar las peripecias épicas que vivían los héroes y villanos de primera fila.

La productora que le tenía bajo contrato no le ofreció alternativas más interesantes en los años siguientes, como demuestra su poco inspiradora participación en películas como *Island of the Lost Men,* dirigida por Kurt Neumann; *Televisión Spy* y *Emergence Squad,* ambas de Edward Dmytryk; *Parole fixer,* de Robert Florey, o *Road to Singapore (Camino de Singapur).* Esta última fue dirigida por Victor Schertzinger, e inició la serie de siete películas protagonizadas por el cómico Bob Hope y el cantante Bing Crosby, todas las cuales estaban concebidas para su exclusivo lucimiento y se dotaban con un sentido del humor ciertamente localista y difíclmente exportable, que no ha impedido que se conviertan en un punto de referencia para las posteriores películas «de colegas», al menos en lo que a su estructura se refiere: dos tipos distintos, que no se llevan demasiado bien, compiten por la misma mujer, Dorothy Lamour, al tiempo que corren una aventura viajando por medio mundo a golpe de cancioncilla melódica y chistes.

El siguiente título que contó con Quinn en su elenco de intérpretes fue *The Ghost Breakers (El castillo maldito),* dirigida por George Marshall, y en la que volvió a tocarle en suerte servir como trasfondo a las peripecias cómicas de Bob Hope, en esta ocasión relacionadas con la investigación que el cómico lleva a cabo en torno a una mansión aparentemente maldita heredada por el personaje intepretado por Paulette Goddard. Calificada por los críticos como uno de los vehículos más divertidos de la filmografía de Hope, sirvió como modelo a un largometraje posterior interpreado por la pareja formada por Jerry Lewis y Dean Martin, y su característica más positiva era el ambiente y la mezcla de humor con algunas notas de suspense.

Desengañado por la forma en la que la productora Paramount estaba enfocando su carrera, Anthony Quinn decidió recuperar su libertad y empezó a trabajar para otras productoras, como Warner Brothers o 20Th Century Fox, con las cuales al menos consiguió un abanico de ofertas más amplio en lo que a los personajes se refiere. Volvió a la Paramount para interpretar un divertido papel de jeque árabe en la segunda entrega de la serie de comedias con Hope y Crosby como protagonistas, *Road to Morocco (Camino a Marruecos),* dirigida por David Butler. Este tipo de comedias ha envejecido muy mal, dejando como único aliciente rescatable sus canciones, pero en este título concreto la aportación de Quinn evidenciaba ya en aquel momento su capacidad para optar a encargos de mayor entidad de los que se le estaban ofreciendo hasta ese momento.

El actor vivió su siguiente fase en el progreso hacia el estrellato en ese cambio de perspectiva que le facilitó el acceso a los repartos de películas como *City for conquest (Ciudad de conquista),* dirigida por Anatole Litvak; *Texas Rangers rider again (Legión de traidores),* de James P. Hogan; *Blood and sand (Sangre y arena),* de Rouben Mamoulian; *Knock Out,* de William Clemens; *Thieves fall out,* de Ry Enright; *Bullet's O'Hara,* de William K. Howard; *They died with their boots on (Murieron con las botas puestas),* de Raoul Walsh; *The perfect snob,* de Ray McCarey; *Larceny Inc,* de Lloyd Bacon, o *The Black Swann (El cisne negro),* de Henry King.

De todas ellas merece la pena destacar, por lo que significaron para su posterior carrera como estrella: *Ciudad de conquista, Sangre y arena, Murieron con las botas puestas* y *El cisne negro*. Tres películas que permiten observar el progreso de Quinn como actor secundario, de carácter, capaz de ascender en los momentos oportunos hasta un protagonismo breve pero efectivo.

De hecho, su posterior carrera en Hollywood se edifica sobre las bases de sus contundentes apariciones en estas producciones de gran presupuesto que le permiten abrirse camino dejando clara su capacidad para atraer la atención de la cámara en una clave de aspirante a papeles de mayor peso en la historia de los que habían llegado a sus manos hasta el momento en que consiguió destacar en dichos filmes.

Ciudad de conquista era una producción de la Warner Brothers que giraba en torno a un camionero del barrio neoyorquino de East

Side, que acaba convertido en boxeador, quedando ciego en uno de sus combates. Por otro lado, su hermano, compositor, consigue el éxito en todo el mundo con sus sinfonías. Se trataba de un melodrama íntegramente rodado en estudio en Nueva York, y muy influenciado por las pretensiones de una formación teatral, el Group Theatre. El protagonista era James Cagney, se basaba en una novela de Aben Kandel, contó con la música del respetado Max Steiner y su rodaje se vio afectado por un accidente que provocó una herida en un ojo a Anatole Litvak, obligando a que cubriera su puesto durante una temporada Jean Negulesco.

Sangre y arena era la segunda adaptación cinematográfica de la novela de Vicente Blasco Ibáñez (la anterior la había protagonizado el mítico Rodolfo Valentino en el año 1922, con Fred Niblo como realizador), y lamentablemente no es la última, ya que existe una versión más reciente rodada en España en la década de los 80 y con Sharon Stone como protagonista antes de conseguir el éxito con *Basic instinct (Instinto básico)*. Dicha versión no le hace justicia ni a la novela ni a cualquiera de sus dos antecesoras en la pantalla.

Participar en una producción de alto presupuesto como en su momento fue *Sangre y arena,* valorada por su productora como una apuesta segura frente a la taquilla gracias a su reparto, encabezado por Tyrone Power y Rita Hayworth, subía el crédito de Quinn en el esquema de los grandes estudios norteamericanos. Era un punto positivo más en su currículum, le convertía en intérprete a tener en cuenta para personajes de protagonismo creciente en otras películas. Como en tantas otras ocasiones, al actor le tocó el cometido de poner algo de realismo en cuanto al origen racial de los personajes del relato, algo así como la huella latina en el filme, mientras actores como John Carradine, Tyrone Power, J. Carroll Naish o Laird Cregar, tan poco latinos, se veían obligados a interpretar personajes cuyo nombre ya es toda una apuesta por el contrasentido: Juan Gallardo, Garabato, Nacional, Natalio Curro... Al menos en el pasado familiar de Rita Hayworth (alias artístico de Margarita Cansino), que interpretaba a la protagonista femenina de la película, Carmen Espinosa, sí existían unas fuertes raíces españolas por parte de sus padres, la pareja de bailarines conocida como Los Cansino. En lo referido al aspecto físico de Rita, esas huellas raciales que ponían de manifiesto su origen se fueron borrando para «americanizarse» a medida que la actriz pasaba por los quirófanos para reducirse la frente, que los ejecutivos de los estudios juzgaban como demasiado ancha; cambiar el aspecto de su rostro, el color de su pelo, etcétera.

El sastre José Dolores Pérez intentó que el aire español impregnara la película a través de sus creaciones para el ropero de la misma, realizando entre otras cosas copias exactas de dos trajes de luces de un torero auténtico, Francisco Gómez Delgado, «Armillita». Ambos trajes fueron utilizados por Power para entrar en su papel de matador de toros.

Los coleccionistas de anécdotas pueden tener también en cuenta que el adelanto de esta producción fue el primero que se hizo en technicolor.

Destacada entre los clásicos del cine, *Murieron con las botas puestas* narra la vida de uno de los grandes héroes de la historia de los Estados Unidos, el general George Armstrong Custer. Naturalmente el argumento y guión de la película es una versión muy libre de los acontecimientos reales, a los que, tal como hemos visto, Hollywood no suele ser excesivamente fiel cuando se trata de poner en pie un proyecto cinematográfico rentable. Errol Flynn interpretó al mejor Custer que ha conocido el cine, o por lo menos a uno de los más convincentes como mito del Lejano Oeste. Muerto por los indios en la batalla de Little Big Horn junto con todos sus hombres, Custer ha sido interpretrado por otros actores, pero la mitología hollywoodense ha acabado por convertirle en uno de los más competentes Custer cinematográficos que se recuerda.

A Anthony Quinn le ofrecieron otro papel de indio como los que había interpretado ya en varias ocasiones, sin embargo ahora era todo un personaje mítico, ya que su encargo no era otro que dar vida al jefe Caballo Loco, uno de los guerreros indios más populares de la historia de los Estados Unidos.

El rodaje de la película fue particularmente complejo y cuenta con una de las páginas más luctuosas de la historia del cine norteamericano, el momento en que uno de los extras que trabajaba en una de las escenas de la carga a caballo de la película cayó de su animal. Experto jinete y extra acostumbrado a las caídas, el desafortunado tiró la espada que llevaba inmediatamente para prevenir riesgos durante la caída, pero tuvo la mala suerte de que el sable quedó clavado en el suelo ensartándole cuando se deslizaba del caballo al suelo.

Que le dieran el papel de jefe indio belicoso a Quinn no debe extrañarnos si tenemos en cuenta que la productora tuvo que hacer frente a una importante escasez de nativos americanos en Hollywood, cambiando de nación india a dieciséis individuos pertenecientes a la tribu de los dakotas, para hacerles pasar por sioux. Y el jefe de los mismos era un joven aspirante a estrella nacido en México....

La mezcla y la confusión con las razas indias en el cine norteamericano ha hecho circular numerosas leyendas relacionadas con las películas en las que intervenían los nativos norteamericanos, como aquella que afirma que durante el rodaje de las películas de John Ford los indios navajos, a los cuales el célebre director de *La diligencia* había salvado más de una vez de la hambruna contratándoles para rodar una película en los paisajes naturales de Monument Valley, se dedicaban a soltar palabras malsonantes en su idioma original, en lugar de repetir las frases del diálogo que habían escrito los guionistas. Por otra parte, dado el poco papel como seres humanos capaces de hablar, dialogar y comunicarse que se les daba en el Hollywood clásico a los nativos norteamericanos, no extraña que éstos se permitieran pequeñas bromas o maldades de este tipo a modo de revancha y también para dejar su impronta racial en el largometraje.

De las praderas del salvaje Oeste aún por arrebatar a los indios, Quinn saltó al ancho mar para desempeñar un papel algo más destacado en una película de piratas más conseguida que la que había interpretado bajo la dirección de su suegro, *Los bucaneros.* El título del filme era *El cisne negro,* alusión al protagonista de la película, interpretado por Tyrone Power, encarnando a un pirata capaz de aterrorizar a las autoridades al mismo tiempo que coquetea con alguna de sus damas. La película se remonta a los tiempos en que el pirata Morgan es convertido en gobernador de Jamaica, y pide la ayuda de sus antiguos camaradas bucaneros para mantener el orden en las aguas del Caribe. El filme ganó un Oscar a la mejor fotografía en color, al tiempo que se convertía en uno de los clásicos del cine de aventuras desarrollado en el mar, adaptando una novela de Rafael Sabatini con el adorno de la música del maestro Alfred Newman. Quinn interpretaba a un pirata tuerto, secuaz del villano principal de la historia que encarnaba en su mejor estilo George Sanders. Pero la aportación interpretativa de Anthony Quinn no fue en absoluto convencional. En manos de otro actor, su personaje piratesco se habría perdido entre los distintos tipos característicos que rodeaban a los personajes principales, pero el actor mexicano buscó en su simpatía la mejor arma para hacerse notar en las pocas escenas que le habían dado para lucirse, componiendo un tipo de villano secundario, pero nunca accesorio, que conseguía engañar al espectador casi tanto como al protagonista, mostrándose como un tipo humano y cercano, simpático, pero finalmente abocado hacia el mal y la traición.

En esta producción todos los miembros del reparto, completado con Maureen O'Hara, Laird Cregar, Thomas Mitchell y George Sanders, que prácticamente era irreconocible bajo su disfraz de pirata barbudo, llegaron a un acuerdo para contribuir al esfuerzo bélico derivado de la entrada de los Estados Unidos en la Segunda Guerra Mundial. Su aportación fue poner el mayor esfuerzo de concentración de su parte para conseguir que la película se rodara con el menor número de tomas posible, de cara a ahorrar celuloide, material preciado en el momento bélico que vivía el mundo en aquel momento. El resultado fue que casi treinta escenas se completaron en una sola toma, sin repeticiones, lo que suponía un cuantioso ahorro en presupuesto y película.

Tras estas últimas apariciones, el rostro de Anthony Quinn era ya más popular para el público, y si bien es cierto que estaba un tanto encerrado en papeles de contexto racial muy concreto, sometido al estereotipo en la mayor parte de las ocasiones y sin tener muy claro todavía su futuro como actor en la Meca del cine, empezaba a contar con suficiente experiencia como para buscar —y encontrar— el camino hacia el estrellato.

Tras la peripecia piratesca junto a Tyrone Power, Anthony Quinn entró a formar parte del reparto de uno de los westerns más inclasificables y complejos de la historia del género, *The Ox-Bow incident (Incidente en Ox-Bow),* dirigida por William A. Wellman. A dicha película se la califica como uno de los primeros intentos de hacer western psicológico en la historia del cine.

Concebida en torno al fenómeno del linchamiento, era al mismo tiempo un alegato encubierto sobre la pena de muerte que se aplicaba y todavía hoy se aplica en algunos lugares de Estados Unidos. Henry Fonda y Harry Morgan interpretan a dos ciudadanos que intentan impedir el linchamiento de tres hombres sospechosos de un delito del que podrían ser inocentes. Los sentenciados eran Dana Andrews, posteriormente protagonista de películas como *Laura (Laura)* o *The best years of our lives (Los mejores años de nuestra vida),* Francis Ford y Anthony Quinn. El director consiguió recrear el terror a la masa de linchamiento de manera ciertamente escalofriante, algo que sólo había conseguido Fritz Lang con su largometraje *Fury (Furia),* protagonizado por Spencer Tracy. Curiosamente, un intento por tomar como punto de partida este mismo argumento llevado a cabo años más tarde por Ted Post en la película *Hang'em High (Cometieron dos errores),* que tuvo como protagonista a Clint Eastwood en el papel de un inocente colgado de manera injusta por otra pandilla de linchamiento, arrojó resultados considerablemente inferiores a los de *Incidente en Ox Box,* que está considerada por la crítica unánimente como uno de los mejores western de la historia del cine. El humanismo y el talante progresista expresado en el sustrato de la película original desaparecieron en esta apresurada, oportunista y poco imaginativa revisión que desperdició todos los elementos interesantes del original para centrarse en el deseo de venganza como móvil esencial del protagonista, pasando de la reflexión madura de *Incidente en Ox Bow* al infantilismo revanchista que preside la etapa menos interesante de la filmografía protagonizada por el inconfundiblemente derechista, esto es, republicano, Clint Eastwood.

Al realismo incluso deprimente del que hizo gala este largometraje se une, en los primeros tiempos de Quinn como actor secundario, su contribución a una producción bélica marcada por el talante de propaganda propio de la época que dirigió en 1943 Lewis

Seiler, *Guadalcanal Diary (Guadalcanal)*, crónica forzosamente, y forzadamente, tendenciosa de la participación de las tropas norteamericanas en una de las batallas más destacadas del frente del Pacífico durante la Segunda Guerra Mundial.

Basándose en un libro de Richard Tregaskis, *Guadalcanal* se constituye como el ejemplo perfecto de la película de propaganda, estructurada en torno a excelentes actores que sin embargo son ajenos al estrellato, circunstancia ésta que facilita la inoculación del mensaje de propaganda a través de la máxima identificación del público con los personajes que aparecen en la pantalla, tanto más humanos cuanto que no se trata de estrellas.

De hecho, Quinn se beneficia de este protagonismo coral en el que interviene junto a gentes tan competentes como Preston Forster, Lloyd Nolan, William Bendix, Richard Conte, Richard Jaeckel o Lionel Stander. Actores de segunda fila para dar vida a personajes reales que estaban luchando en ese mismo momento en los distintos frentes bélicos en los que se daba la participación de tropas norteamericanas. Gente capaz de interpretar a gente de la calle, a soldados comunes y corrientes, héroes anónimos en una guerra sangrienta capaz de producir suficiente material argumental como para hacer películas durante ochenta años posteriores a la finalización del conflicto.

El aliento mítico del enfrentamiento con los japoneses que respira Guadacanal tiene su base en la perfecta recreación de las escenas de acción y violencia que incluye la película, que sirvió fielmente a Quinn como tarjeta de presentación para otros productores de Hollywood.

Pero como, mientras llegaba el papel de su vida, el actor necesitaba dinero para seguir manteniéndose, Quinn aceptó participar en otra aventura del Oeste, *Buffalo Bill (Las aventuras de Buffalo Bill)*, dirigida por William Wellman en 1944. Protagonizada por Joel McCrea, Maureen O'Hara, Linda Darnell y Thomas Mitchell, esta nueva versión de las peripecias de William F. Cody viajaba con el mítico héroe de la pradera asesino de indios y búfalos desde los tiempos en que jugaba a ser guerrero blanco y guía de la caballería hasta sus momentos finales de explotación del propio mito en las actividades circenses. En esta ocasión a Quinn le tocó interpretar al no menos célebre guerrero indio Mano Amarilla. En cierto sentido, este tipo de personaje era una promoción profesional, ya que en la anterior película sobre William F. Cody en la que había intervenido, dirigida por De Mille con el título de *Buffalo Bill,* el actor mexicano era sólo un indio del montón, y como actor estaba comenzando con paso más que vacilante totalmente perdida a su trayectoria hollywooodense. Sin embargo, en esta ocasión Quinn seguía siendo secundario, pero había promocionado hasta interpretar a uno de los participantes más destacados en las guerras indias que adornaban con toques coloristas el pasado histórico aún no tan remoto de su país de acogida.

Tras esta película, la carrera de Anthony Quinn en Hollywood pareció estar definitivamente estancada en el tópico y los personajes estereotipados, de marcado tinte racial, con pocas posibilidades de llegar a ser algún día el protagonista en otros filmes.

Capítulo IV

— Estrella entre los secundarios —

Películas como *Ladies of Washington,* dirigida por Louis King; *Roger Touhy Gangster,* de Robert Florey; *Irish Eves are smiling,* de Gregory Ratoff, o *China Sky,* de Ray Enright, fueron simples ocupaciones alimenticias para el actor, que posteriormente acabó protagonizando su propio ceremonial de sacrificio bélico participando en *Back to Bataan (La patrulla del coronel Jackson),* dirigida por Edward Dmytryk en 1945 y protagonizada por el monolítico y patriotero John Wayne, que no tardó en convertirse en el armamento pesado de una campaña de promoción del ejército y el fenómeno bélico, a pesar de que él mismo hizo todo lo que estaba en su mano para librarse de ir al frente cuando le tocó.

En *La patrulla del coronel Jackson* cabe saludar a un Anthony Quinn con mayor protagonismo del que se le conocía hasta ese momento, interpretando, eso sí, a una minoría racial a los ojos de los norteamericanos, los filipinos.

Quinn encarnó a un líder de la resistencia de aquel país que contribuye amistosamente al esfuerzo de los aliados para desalojar su país de los invasores nipones, pintados como crueles y perversos *per se.*

Aderezada con unas espectaculares escenas de acción y con una fotografía espectacular, *La patrulla del coronel Jackson* fue para el mencionado un primer paso serio para postular por el estrellato.

El argumento de la película gira en torno a las operaciones militares llevadas a cabo por un coronel del ejército de los Estados

Unidos (John Wayne), tras la caída de las Filipinas en manos japonesas, para organizar una guerrilla contra los invasores. Anthony Quinn era uno de los colaboradores del militar norteamericano, el capitán filipino Andrés Bonifacio, segundo de a bordo en una película cuyo claro origen propagandístico obligaba a rendir homenaje a los héroes nacionale de la resistencia que luchaba del lado de los aliados en la Segunda Guerra Mundial. La utilidad de Quinn como figura racial dentro de la industria gringa empezó a revelarse en esta competente y entretenida producción bélica que hoy podemos juzgar más objetivamente como un digno ejemplo de cine bélico espectacular, si bien es cierto que al mismo tiempo contiene todos los elementos característicos del panfleto militarista cocinado en el Hollywood de mediados de los años 40 para levantar la moral de la población frente al enfrentamiento bélico y al mismo tiempo incentivar el alistamiento de nuevos reclutas para el frente. Tales objetivos obligan a practicar la inexcusable satanización del enemigo, los japoneses, cayendo en un maniqueísmo que estropea el resultado de conjunto del filme, pero hoy nos sirve como referente antropológico y sociológico de la época en que fue concebida *La patrulla del coronel Jackson.*

En todo caso, la película marcó el momento en el que Anthony Quinn empezó a codearse con las estrellas más destacadas del cine norteamericano.

El siguiente paso fue menos espectacular en lo que a situación en el reparto se refiere, ya que el protagonista de nuestro libro retrocedió desde la posición de coprotagonismo que había gozado en sus hazañas bélicas junto a John Wayne, hasta unos cuantos puestos más abajo de los créditos, encarnando a don Luis Rivera y Hernández en *California (California),* dirigida por John Farrow en 1945. La película era un western de tintes épicos ambientado en 1848, que, por su tema, la conquista, formación y desarrollo de California, podría haber dirigido el siempre espectacular Cecil B. De Mille, que había puesto sus cámaras al servicio de otras hazañas enmarcadas en la conquista del Oeste, como *Buffalo Bill* o *Unión Pacífico.* El filme lo dirigió sin embargo el marido de la célebre Maureen O'Sullivan, que había alcanzado el estrellato ejerciendo el papel de Jane, la compañera sentimental del Tarzán intepretado por Johnny Weismüller. Por otra parte, Farrow era también el padre de la también actriz Mia Farrow, la célebre ex compañera sentimental de Frank Sinatra y Woody Allen. Director de encargo, artesano eficaz pero sin un estilo visual suficientemente épico para este tipo de tramas, Farrow era más amigo de la dirección de actores, las escenas de diálogo y las tramas dramáticas, que de las secuencias espectaculares. El resultado fue por tanto un western volcado en realizar el «glamour» de las estrellas de su reparto, rebozado en tópicos y convencionalismo.

Los protagonistas de *California* fueron Barbara Stanwyck y Ray Milland, cuyos personajes se enfrentaban al mismo tiempo que se amaban, en una fábula relacionada con el establecimiento de los casinos en el territorio desértico que la fiebre del oro no iba a tardar en convertir en un infierno animado por altercados, rencillas y guerras locales entre los habitantes del lugar.

Desde esa postal épica de la historia de los Estados Unidos cocinada al estilo Hollywood, Quinn saltó a interpretar el papel del emir en una nueva versión del clásico relato de *Las mil y una noches, Simbad the sailor (Simbad el marino),* dirigida por Richard Wallace en el año 1947. Simbad iba a convertirse años más tarde en un personaje central de toda una saga de producciones dedicadas a reflejar sus andanzas por los siete mares, próximas a las peripecias vividas por los superhéroes del comic «made in USA». El experto en efectos especiales y creación de monstruos en miniatura Ray Harryhausen sería el encargado de suministrar las espectaculares criaturas que habían de aderezar las odiseas del célebre personaje.

En esta primaria visión del personaje, Simbad fue interpretado por el hijo de una de las figuras esenciales del cine de aventuras en el cine mudo, Douglas Fairbanks Jr. Su compañera de aventuras era Maureen O'Hara, que iba a hacerse un nombre acompañando a los héroes de la caballería de John Ford en sus aventuras, y Anthony Quinn interpretaba el papel del emir. El tiempo le ha prestado un flaco favor al filme, que hoy aparece ante los espectadores como un parco intento de recrear la riqueza imaginativa de los relatos fantásticos, sin contar con medios suficientes para ser algo más que una peripecia de serie negra dedicada a exhibir vistoso vestuario, exóticos paisajes, y héroes y villanos imposibles, ajenos a todo rasgo humano que pueda pervertir su inmaculada y prístina inocencia como víctimas propiciatorias del cine de aventuras clásico en su vena más infantiloide.

Tras esta peripecia sin posibilidades de pasar a la historia, ni siquiera como digna representante del cine concebido como entretenimiento, Anthony Quinn encadenó un rosario de papeles de encargo, cuyo objetivo puramente alimenticio es obvio. Es el caso de películas que no aportan nada a su filmografía, como *The imperfect lady,* dirigida por Lewis Allen en 1947; *Black Gold,* que en el mismo año dirigió Phil Karlson; *Tycoon (Hombres de presa),* realizada también en ese año por Richard Wallace; *The Brave Bulls* o *Mask of the avenger (La espada de Montecristo),* dirigidas en 1948 respectivamente por Robert Rossen y Phil Karlson.

De todas ellas cabe destacar especialmente dos títulos, *Black Gold* y *La espada de Montecristo.* La primera es un punto señalado en la filmografía de Quinn, porque en la misma tuvo la oportunidad de trabajar junto a Katherine De Mille, la hija, adoptada, del director y productor Cecil B. De Mille, que el actor había convertido en su esposa. La película era una producción de bajo presupuesto con el sello de la productora Allied Artists. Quinn interpretaba su primer papel relamente protagonista encarnando a un indio orgulloso, pero no demasiado inteligente, que descubre petróleo en su propiedad, al tiempo que acoge a una refugiada procedente de China. El actor consiguió en esta modesta película, lamentablemente mal distribuida y actualmente poco conocida, una de sus más completas, auténticas y mejores interpretaciones. Puso todo en ese personaje con algunos de cuyos rasgos, como la autoestima, se sentía muy identificado a nivel personal. Además, el hecho de estar trabajando junto a su esposa y en una producción ajena a los grandes costes y al control y la omnipotencia de los estudios más poderosos de Hollywood, le facilitó una comodidad y una confianza en sí mismo y en su trabajo que sentaron las bases para una sincera exposición del talento dramático como expresión de humanidad que iba a caracterizar su posterior carrera como estrella. El actor recordaría posteriormente cómo en aquel filme de poca envergadura comercial, pero poderoso trasfondo social propicio a suscitar la reflexión en el espectador, se había sentido más libre que en muchos de sus bien remunerados trabajos de la etapa más brillante de su carrera como protagonista. Si hay un punto de arranque en el autorreconocimiento de Anthony Quinn como actor, un primer contacto del intérprete con su talento, una primera forma de reconocerse como artista dramático, se encuentra sin duda en esta producción hoy perdida para la mayor parte del público en todo el mundo, pero que sin duda merece la pena y urge rescatar de los archivos cinematográficos que integran la filmografía de Anthony Quinn.

Por su parte, *La espada de Montecristo* nos sirve como ejemplo para hacernos una idea de cómo funcionaba el Hollywood de la época a la hora de organizar proyectos y titular los mismos. Totalmente ajena a la obra y el personaje de Alejandro Dumas, *El conde de Montecristo,* la producción tomó prestado dicho nombre, tal como hacía su protagonista, cuyo nombre como personaje de ficción era Renato Dimorna. El tal Dimorna era un joven aventurero interpretado por John Derek, actor que únicamente destacó como tal brevemente en un papel de *The ten commandments (Los diez mandamientos),* y posteriormente había de pasar a la historia del cine por contribuir a la promoción y representación de algunas de las rubias más espectaculares de la pantalla grande, como Ursula Andress, la primera y mejor «chica Bond», en opinión casi unánime de los aficionados a la saga protagonizada por el agente 007; Linda Evans. célebre por su papel en la serie de televisión *Dinastía,* y Bo Derek, lanzada en la comedia de Blake Edwards como *Ten (10, la mujer perfecta),* a pesar de su baja estatura, y a la que Derek consiguió emparejar cinematográficamente con Quinn muchos años más tarde en *Ghost can't do it (Los fantasmas no pueden hacerlo),* una de las peores películas en la filmografía del veterano actor.

Frente al juvenil y apuesto Dimorna, Quinn interpretaba al villano de turno, un diabólico gobernador que, como tienen por costumbre este tipo de personajes, no sólo intenta arrebatar la honra del héroe, sino que también pretendía quedarse con la chica, María, interpretada por Jody Lawrence.

Afortunadamente para Anthony Quinn, no todas las películas que le esperaban en el futuro eran tan pobres y limitadas de imaginación como *La espada de Montecristo*, de la cual ciertamente no se sentía especialemente orgulloso, a pesar de que su papel de villano en la misma le había permitido aparecer el segundo en el reparto tras el protagonista, tal como le había ocurrido previamente en *La patrulla del coronel Jackson.*

Escalando puestos sin llegar a conocer el verdadero alcance de sus logros ante las cámaras, Anthony Quinn se había convertido en un rostro popular entre los aficionados, y por tanto empezaba a experimentar cierto tipo de celebridad en Hollywood. Obviamente no era una estrella, pero apuntaba serias maneras para ello, y lo demostraba reclamando su espacio en cada escena a sus numerosos compañeros de reparto a la primera oportunidad, sin dejar que la mayor o menor importancia de su personaje en la historia se interpusiera en su trabajo.

Su evolución profesional le había llevado desde la intervención en las películas de serie negra hasta un puesto destacado como segundo de a bordo en películas de mayor presupuesto, y tal progreso facilitaba el primer paso hacia el estrellato. Todo lo que estaba esperando el actor era la gran oportunidad que tan frecuentemente ha sacado del anonimato a no pocos grandes astros y estrellas de Hollywood, y dicha oportunidad no se hizo esperar demasiado.

Capítulo V

— Un Oscar para Eufemio Zapata —

No podía ser de otro modo. Tras una trayectoria dilatada abriéndose paso desde las más modestas producciones y los papeles menos interesantes, hasta las primeras oportunidades como actor secundario, Anthony Quinn acabó enfrentándose a ese momento crucial que todo actor o actriz teme pero al mismo tiempo ansía: la oportunidad de su vida, el papel que les saque del montón para situarles en la primera línea de interés del público, el trampolín que les proyecte a la primera división, a la liga mayor, a los puestos de cabeza en el reparto, junto a las estrellas que han admirado, o imitado, o con las que simplemente han coincidido previamente en su ejercicio de elemento secundario, decorativo, de relleno.

Anthony Quinn encontró su oportunidad de manera un tanto simbólica que aludía claramente a sus orígenes, a sus raíces, al lugar del que procedía antes de internarse en el paisaje norteamericano. El actor hubo de regresar al principio de su periplo en este mundo, a los tiempos de la infancia, a los paisajes y las gentes de México, para encontrar el camino hacia el estrellato en los Estados Unido. El papel clave de su carrera, que le situó entre los rostros populares de Hollywood, fue el de Eufemio Zapata, el hermano de Emiliano Zapata, en la película *¡Viva Zapata!*, dirigida por Elia Kazan en 1952.

La pelicula es una recreación respetuosa con el personaje central, pero que se toma ciertas licencias respecto a la historia real de la revolución de Zapata en México. El reto para los artífices de la producción era proporcionarle cierta credibilidad a la misma sin perder la oportunidad de añadirle los elementos de caracterización propiamente hollywoodense, esto es, trasfondo romántico, identificación del héroe principal de la historia con un rostro conocido de estrella, cierto maniqueísmo que facilite la interpretación del público y un esquematismo en la recreación de los momentos históricos que permita una explotación masiva del producto.

Partiendo de este esquema, un tanto condicionante, el resultado fue sin duda más digno de lo que cabía esperar. El argumento recrea la revuelta de los campesinos liderados por Emiliano Zapata contra los terratenientes que tienen en Porfirio Díaz a su líder. Ayudado por su hermano Eufemio y por un viejo amigo, Pablo, Emiliano pone en marcha la lucha, hasta ser contactado por Fernando Aguirre, uno de los colaboradores de Francisco Madero, enfrentado también al gobierno de Díaz. Aguirre pretende servir como puente entre ambos líderes de la oposición contra el poder gobernante, organizando un frente común de Zapata y Madero contra Porfirio Díaz.

El guión de la película contó con la colaboración del prestigioso novelista John Steinbeck, y para Elia Kazan supuso una especie de purga de la mala conciencia que pudiera haberle quedado tras su colaboración en la denominada «caza de brujas» desatada por el senador Joseph McCarthy mediante la Comisión de Actividades Antiamericanas, que se basaba en la delación de los compañeros contra los compañeros, y barrió el mundo de la cultura norteamericana, y especialmente el del cine, acabando con la carrera de numerosos guionistas, directores, actores... a los que se acusó de ser simpatizantes o colaboradores del comunismo en territorio norteamericano, lo que equivalía a situarles en el punto de mira de las autoridades como conspiradores contra el Estado, la sociedad y el modo de vida norteamericano.

Esta maniobra fue contestada por varias estrellas de Hollywood, que hicieron una marcha para protestar contra el sistema de interrogatorios y delaciones, siendo denominados «los diez de Hollywood», y contando entre sus integrantes con rostros célebres como los de

Humphrey Bogart o Lauren Baccall. En el otro extremo del espectro, integrantes tan destacados de la fauna hollywoodense como Gary Cooper, John Wayne o el propio Elia Kazan, colaboraron con el Comité, algunos de ellos incluso delatando a algunos de sus compañeros, condición exigida para que dejaran de investigarles a ellos mismos y se quitaran de encima la etiqueta de sospechosos de colaborar con el comunismo.

La primera película que Kazan, uno de los delatores de sus compañeros, hizo tras vivir estos sucesos fue *¡Viva Zapata!*, y precisamente por ello el director quiso otorgarle a este filme un contenido social con crítica incluida, capaz de contrarrestar las críticas que le dirigían quienes no veían con buenos ojos su colaboración con la «caza de brujas» de McCarthy. En realidad el director había preparado este largometraje antes de verse envuelto en la vorágine de las listas negras y las persecuciones llevadas a cabo por la derecha norteamericana, pero al producirse con posterioridad a estos hechos, la película cobró un significado muy especial: el reto de Kazan era demostrar que podía seguir facturando un cine interesante, rico y comprometido con los temas actuales, independientemente de cuál hubiera sido su postura en relación al Comité de Actividades Antiamericanas. De ese deseo se impregnó también otra de sus mejores películas, *On the waterfront (La ley del silencio)*.

En la entrevista concedida por el director al crítico francés Michel Ciment para su libro *Kazan por Kazan*, el responsable tras las cámaras de *¡Viva Zapata!* explicaba: «Le dije a John Steinbeck lo que pensaba sobre este hombre (Emiliano Zapata). Él me dijo: "Le conozco bien, siempre he pensado en él", el tema le interesaba. Pero había algo más profundo y puede ser que inconsciente entre nosotros: los dos buscábamos una forma de expresar lo que significaba ser de izquierdas y progresista siendo al mismo tiempo antiestalinista. En aquel momento éramos vecinos y amigos. Creo que en alguna parte de mi interior había buscado siempre argumentos como los de las grandes películas soviéticas que me gustaron en los años 30: *El acorazado Potemkin* o *Aerogrado*. Desde 1935 tenía la idea de hacer una película sobre Zapata, desde el momento en que me hablaron de él durante un viaje a México. Su dilema trágico nos interesaba: una vez que uno ha tomado el poder gracias a una revolución, ¿qué debe hacerse con el poder? ¿Qué suerte de estructura hay que construir? John (Steinbeck) pensaba que debía empezar a documentarse. (...) Salió para México, donde permaneció durante dos meses, creo; buscó ayuda de los mexicanos en sus búsquedas, leyendo todo él mismo, porque conocía bien el castellano.»

Kazan tenía muy claro cómo quería reflejar a Emiliano Zapata en su película: «Después de haber conseguido todo el poder que proporciona la victoria, no sabía qué hacer con él, ni cómo ejercerlo. (...) Había también informaciones ambivalentes respecto a su situación con las mujeres. Quería tener al mismo tiempo una mujer de origen paisano y una mujer del medio social más elevado, con más educación y refinamiento. Zapata salió de su propia clase. Se elevó casi hasta la pequeña burguesía, y tenía que hacerle la corte según el estilo tradicional: se vistió como un pequeño propietario de la pequeña burguesía. En un sentido, ésa fue la primera vez que se traicionó a sí mismo, cuando se puso a hacer de este modo la corte a una mujer y a desposar a alguien de ese medio. Más tarde, cuando ella desaparece de su vida por una temporada, le vemos un poco con los paisanos que le siguen y se ocupan de él; pero era una dirección contraria a la que había adoptado públicamente. Es así como yo veía el tema, ése era el espíritu de la película. Fue por eso por lo que elegimos a Jean Peters para el papel femenino, porque quería a alguien que de alguna manera haya sido elevada como un miembro de la elite en un pequeño pueblo.»

Según afirma el realizador, la búsqueda de testimonios de personas que hubieran conocido a Emiliano Zapata fue exhaustiva por parte de los artífices de la película, hasta el punto de que enviaron a los lugares de México donde había transcurrido la vida del revolucionario a varias personas del equipo, en un intento por localizar a familiares de Zapata.

Respecto a cómo fue acogida su película por algunos sectores de la sociedad mexicana, Kazan opinaba, casi disculpándose: «Creo que cinco minutos después de que muera un héroe, todos aquellos que estudian su figura tendrán visiones y opiniones distintas sobre él. Comprendo que los comunistas de México comenzaran a considerar a Zapata como herramienta, como un personaje en el que su antiamericanismo podía ser idealizado en sus luchas nacionalistas. Pensaban que, teniendo en cuenta que había muerto hacía mucho tiempo, podía devenir un ídolo utilizable o un dios para invocar. No les gustó nuestra película porque no mostraba a Zapata como un personaje puro.»

Kazan estaba muy interesado en rodar la película en el propio México, en los mismos lugares donde habían ocurrido los acontecimientos que se narraban en el argumento de la misma, pero cuando empezó a circular el guión entre algunas figuras del cine mexicano, como el director de fotografía Gabriel Figueroa, que en aquel momento era presidente del Sindicato de Técnicos del Cine Azteca, se negaron a colaborar en el filme a menos que se hicieran los pertinentes cambios en el guión para dar una visión más ajustada a la realidad de la figura central de la película; en definitiva, un héroe de la historia de México. Los norteamericanos se negaron a hacer dichos cambios, mientras Figueroa les daba una explicación de su postura con este ejemplo: «Imaginen que una compañía mexicana viniera a Illinois para hacer una película sobre la vida de Abraham Lincoln con un actor mexicano en el papel principal. ¿Qué pensarían ustedes en ese caso? (...) La historia que queríamos contar era la de un hombre que se había organizado con sus camaradas, con el pueblo a su alrededor, en su provincia, bajo la presión de injusticias crueles y terribles; él les organiza para que se rebelen, y la revuelta se extiende a causa de la represión que provoca y porque es justa. Y la revuelta se transforma en una revolución victoriosa. Es el primer acto. Después contamos el segundo acto: una vez en posesión del poder, Zapata no sabía cómo ejercerlo. Estaba perdido, y descubre que el poder corrompe, no sólo a aquellos que le rodean, como su hermano, Eufemio, sino que comenzaba a corromperle a él mismo. En el tercer acto, abandona todo eso, pierde los soldados y el prestigio que le protegía, convirtiéndose en presa fácil para su asesinato.»

Finalmente, la película se rodó en Texas, lo más cerca posible de la frontera mexicana, pero el director insistió en mantener el necesario vínculo con México trabajando el aspecto visual de la película partiendo del libro *Historia gráfica de la revolución (de 1900 a 1940)*, en el que se detallaba el acontecimiento histórico de la etapa que abarcaba el argumento de su película a través de fotografías. Al parecer el libro fue decisivo como fuente de inspiración para ilustrar la escena en la que Zapata se encuentra con Pancho Villa, en la ciudad de México, poco después de haberse hecho fotografiar con sus amigos y partidarios.

El papel de Emiliano Zapata fue a parar a manos de Marlon Brando, actor-fetiche de Elia Kazan, con quien debía obtener tres de los grandes éxitos de su carrera: *A streetcar named Desire (Un tranvía llamado Deseo), ¡Viva Zapata!* y *La ley del silencio.* No era casualidad que Brando, Kazan y Quinn hubieran estado implicados en las representaciones teatrales de la obra en la que se basó la primera de estas películas. Brando tuvo a Quinn como sustituto durante una temporada en las representaciones de la obra de Tennessee Williams, un contacto que se reveló como crucial para que Anthony pudiera enderezar definitivamente su carrera en la pantalla grande, colaborando con Kazan y Brando en *¡Viva Zapata!*. Por otra parte, su acuerdo para interpretar uno de los papeles principales en esta película era lógico si tenemos en cuenta que, tal como contaba el propio actor en su biografía, su pasado apoyaba seriamente la vertiente de realismo que buscaba el realizador, ya que sus padres habían participado en la revolución mexicana cuando eran jóvenes.

Sin embargo, a Kazan le resultó más difícil encajar en el proyecto a Quinn, al que había dado clase de interpretación en el Actor's Studio, en el mismo grupo que Rod Steiger, Shelley Winters y esporádicamene James Dean, que hacer de Brando el protagonista. El productor de la película, Richard D. Zanuck, no estaba convencido del potencial de Brando como protagonista. En aquel momento, el actor había intervenido en la versión cinematográfica de *Un tranvía llamado Deseo,* pero su figura en la pantalla grande y su forma de interpretar el papel en dicha película le habían granjeado tanto críticas negativas como positivas, y si bien puso de moda la camiseta como prenda para vestir informalmente, en lugar de sólo como ropa interior masculina, lo cierto era que su forma de hablar había generado algunas críticas negativas especialmente sangrantes. Zanuck temía que tal actor no estuviera a la altura del personaje y del costoso proyecto, y prefería contar con una estrella más consagrada para ganar seguridad en un proyecto ya de por sí suficientemente arriesgado. Lo cierto es que en el ambiente cinematográfico el todavía recién llegado Brando, previo a su éxito con *La ley del silencio,* era el motivo de comentarios jocosos por su extraña forma de hablar. No se le tomaba en serio.

En cuanto al papel femenino, Kazan se lo ofreció inicialmente a Julie Harris, pero en último término sería Jean Peters la que se ocupara de desempeñar el mismo.

La película suscitó todo tipo de comentarios, a favor y en contra. Entre los que opinaban en contra se contaba el realizador Howard Hawks, para quien Kazan había convertido, son sus palabras, «a un bandido repugnante en Papá Noel». Por su parte, el también director Samuel Fuller, en un extremo ideológico opuesto al de Hawks, señaló justo lo contrario. En su opinión, la película «convirtió a un idealista en un asesino».

Esta división de opiniones no impidió que el largometraje se convirtiera en un rotundo éxito para Anthony Quinn, que fue galardonado con un Oscar al mejor actor secundario por su trabajo en este filme.

A pesar de que la 20Th Century Fox no hizo grandes alardes en el lanzamiento comercial de la película en los Estados Unidos, lo cual generó resultados mediocres de la película en los cines norteamericanos, donde recaudó 1,9 millones de dólares, situándose en el puesto número 53 en la lista de las más taquilleras de la temporada 1952-1953, *¡Viva Zapata!* se ha convertido posteriormente en una de las películas fundamentales del cine norteamericano de los años 50. Su estreno en otros países del mundo cuya población continuaba sufriendo problemas de explotación de las tierras, como Grecia o Turquía, provocaba espontáneos estallidos de entusiasmo entre los espectadores cuando Zapata conseguía hacer triunfar su revolución. Era un paisaje evidentemente distinto al que se daba en los Estados Unidos.

Junto al galardón conseguido por Anthony Quinn, la película fue nominada al Oscar en las categorías de mejor actor principal (Brando), mejor argumento y guión, mejor decoración en blanco y negro y mejor banda sonora en película dramática.

Para valorar con justicia la importancia del Oscar conseguido por Anthony Quinn por su papel como Eufemio Zapata, hay que reparar en el resto de los actores que se postulaban el mismo año 1952 para dicho premio: Richard Burton por *My cousin Rachel (Mi prima Raquel)*; Victor McLaglen por *The quiet man (El hombre tranquilo)*, la maravillosa película de John Ford; Jack Palance, que casualmente también había pasado por el Actor's Studio y, como Quinn, había ejercido como suplente de Brando en el montaje teatral de *Un tranvía llamado Deseo*, por *Sudden fear*, y Arthur Hunnicutt por *The big sky (Río de sangre)*, un espectacular western dirigido por Howard Hawks. Richard Burton se tomó la revancha consiguiendo el Globo de Oro al mejor actor revelación del año, galardón al que le impedían optar a Quinn sus muchos años de trabajo en el cine, desde los años 30.

Tal como era de esperar, la noche en que le entregaron el Oscar, la vida de Quinn cambió definitivamente. De repente todos los años de esfuerzo, de ser ignorado en los créditos de sus primeras películas y de ser encasillado en papeles raciales como secundario, empezaron a merecer la pena. Incluso los primeros años de trabajo en el teatro en México cobraron sentido. Finalmente, el éxito que merecía había llamado a la puerta de Anthony Quinn, y él estaba suficientemente preparado y escarmentado de errores anteriores para recibir la oportunidad tal como se merecía.

Tras el galardón, no le faltó trabajo, mejores oportunidades, papeles más interesantes, más largos, de mayor protagonismo... y mejor remunerados. Su carrera empezó a ir a mejor, su popularidad creció, y Quinn empezó a permitirse el lujo de ser más selectivo a la hora de elegir nuevos personajes que interpretar. Sin embargo, no nos engañemos, el estereotipo racial no iba a desaparecer de su vida como actor, aunque rápidamente supo sacarle el mejor partido, dignificando tal circunstancia.

A lo largo y ancho de los años 50, Anthony Quinn desplegó sin duda la etapa más intensa y prolífica de su carrera en el cine, simultaneando sus trabajos como actor con otras inquietudes, como la pintura o la esultura. Incluso tuvo la oportunidad de debutar como director en *Los bucaneros*, película que ya hemos comentado y en la que prefirió no aparecer como actor.

No obstante, como suele suceder con la mayor parte de quienes ganan un Oscar por su buena interpretación, sus siguientes personajes para el cine fueron considerablemente menos densos y sugestivos que el papel con el que había conseguido el premio.

The world in his arms (El mundo en sus manos), producida por la Universal y dirigida por Raoul Walsh en 1952, era una película de aventuras concebida como digno entretenimiento en la que a Anthony Quinn le tocó componer uno de sus tipos de villano entrañable, para ejercer como Némesis del héroe interpretado por Gregory Peck, y estorbar el romance de éste con una condesa rusa interpretada con más alegría y animación de la habitual en su carrera por Ann Blyth.

El guión de la película, escrito por el sólido Borden Chase, mezcló hábilmente el melodrama romántico con la comedia y el cine de aventuras, centrándose en la figura de un capitán de barco del viejo San Francisco que intenta cerrar un negocio capaz de hacerle rico, pero al mismo tiempo se ve implicado en un complot que incluye el enredo romántico y acabará por llevarle hasta una espectacular carrera de barcos que cierra el aspecto más aventurero del relato. Vista con el paso del tiempo, *El mundo en sus manos* conserva su capacidad para entretener y deleitar al espectador, siguiendo escrupulosamente las claves y los tópicos reservados para este género. Lejos de perjudicarla, los años la han convertido en una muestra entrañable y todavía efectiva de la forma de concebir y realizar películas en la etapa dorada de Hollywood, con todo el aparatoso despliegue de secuencias rodadas en estudio, que se manifiesta en esta ocasión especialmente en su inolvidable escena de pelea multitudinaria en un bar atestado de aventureros y facinerosos procedentes de todos los lugares del mundo.

En una línea parecida, pero con menor despliegue económico, se movía *The brigand*, que dirigió Phil Karlson en el mismo año que la anterior, dilapidando el evidente talento de Quinn en un papel secundario de mero adorno del protagonista, Anthony Dexter, sometido al suplicio de desarrollar con su escaso talento un papel dual que vive predecibles aventuras en una corte real. Se trataba de una copia no declarada —pero sí descarada— de *El prisionero de Zenda*, relato clásico del género de aventuras escrito por Anthony Hope y adaptado en varias ocasiones al cine.

Asociado definitivamente al mar y los piratas en este primer tramo de su filmografía, Anthony Quinn cerró el año 1952 implicándose en *Against all flags (La isla de los corsarios)*, dirigida por George Sherman. En esta rutinaria aventura protagonizada por un Errol Flynn, que empezaba a ser algo mayor para este tipo de peripecias más propias de astros en la flor de la juventud, Quinn volvió a interpretar el papel del villano, encarnando a un pirata del mar Caribe que se enfrenta a un oficial de la marina real infiltrado entre los corsarios que dan título a la película en castellano. Fue una de las últimas muestras del cine de piratas más clásico con una de las últimas estrellas realmente competentes en este tipo de películas, Errol Flynn. Casi podemos decir que el género feneció cuando sus máximos representantes ante las cámaras empezaron a ser demasiado mayores para poner carne y hueso al estereotipo de pirata en su recreación más convencional. Por otra parte, el género de piratas tiene mucho que ver con la capacidad de asimilación del público, esto es, con la ingenuidad de cada espectador y su capacidad para recuperar la imaginación desinhibida de la infancia, de ahí que intentos posteriores de volver a este género, como *Scalawag (Scalawag, pata de palo)*, dirigida e interpretada por Kirk Douglas; *Pirates (Piratas)*, de Roman Polanski, o *Cutthroat island (La isla de las cabezas cortadas)*, de Renny Harlin, hayan fracasado, y ni siquiera una actualización del género en dibujos animados, como *Treasure planet (El planeta del tesoro)*, producida por los estudios Disney como adaptación futurista del clásico de la novela de aventuras y piratas *La isla del tesoro*, escrito por Robert Louis Stevenson, hayan conseguido rendir en la taquilla como esperaban sus productores.

Anthony Quinn dedicó todo el año 1953 a rentabilizar económicamente con una actividad continuada ante las cámaras el empujón que le había dado a su carrera el Oscar. Tal hiperactividad le llevó a participar en una serie de películas que hoy pueden parecernos poco memorables, pero en su momento le garantizaron algo importante para un actor que intentaba establecer su popularidad de cara a un posible estrellato: presencia continua en la cartelera de estrenos norteamericanos. Alguien puede pensar: sí, pero esta presencia continuada también puede quemar la imagen ante el público. En el caso de una estrella protagonista con todo el peso de la película sobre sus espaldas, no cabe duda que tal apreciación sería certera, pero no olvidemos que en aquellos momentos, como en buena parte de su carrera, Anthony seguía ejerciendo como secundario, esto es, aparecía y desaparecía de la pantalla, aprovechando siempre su tiempo ante las cámaras para imponer su presencia desde la ausencia en el resto del metraje de la película, pero sin hacerse tan visible que finalmente el público pudiera empezar a cansarse de su omnipresencia.

No obstante, conviene no engañarse y ver otro aspecto de la cuestión. Con toda seguridad, si en aquel momento le hubieran ofrecido papeles de mayor recorrido dramático, con más carga de protagonismo y una presencia más continuada en la acción, Anthony habría aceptado sin dudarlo. Por otra parte, cualquiera de esos encargos le habría reportado un ingreso económico superior al que conseguía haciéndose cargo de personajes secundarios, aunque éstos aparecieran en el reparto imediatamente después del nombre del protagonista, y a pesar de que el Oscar como mejor secundario había supuesto un lógico pero probablemente insuficiente incremento en su cotización profesional, que hoy parecería ridículo a los compañeros de oficio que reciben el mismo galardón y automáticamente ven incrementados sus sueldos en varios ceros.

Lamentablemente, el Hollywood de los años 50 simplemente no estaba preparado para una estrella como Anthony Quinn, y tampoco tenían muy claro cómo podían aprovechar el talento del Anthony Quinn actor. Nuestro protagonista hubo de luchar contra los prejuicios raciales que la industria del cine norteamericano siempre ha adjudicado a su público potencial, autocensurándose, como de hecho hizo estableciendo un código de censura propio, regulado y gestionado por gente designada por la propia industria, para negarse la posibilidad de abordar abiertamente ciertos temas, como la prostitución, el adulterio, la homosexualidad, el ateísmo, etcétera, con vistas a evitar la intervención del gobierno del país en la industria cinematográfica.

Ese «miedo a ofender», a provocar la reacción airada de los grupos sociales de presión organizados por todos los Estados Unidos, en definitiva, el miedo a enfrentarse al rechazo del público que pasa por taquilla, esto es, un pánico de corte economicista, en nada relacionado con las componentes más artísticas que integran el fenómeno cinematográfico, hizo que la industria del cine norteamericano tomara con pinzas, y por tanto desaprovechara, uno de los mejores momentos de un talento dramático emergente que física y racialmente no se ajustaba a los estereotipos de héroe obligadamente anglosajón y blanco que predominaban en aquel momento en Hollywood.

¿Alguien que haya tenido la oportunidad de recuperar las películas protagonizadas por Anthony Quinn en aquellos años duda por un momento que era mejor actor que muchos de los galanes contratados para interpretar los papeles protagonistas en las mismas?

Basta recordar los proyectos que se adornaron con la presencia esporádica de Quinn en 1953 para situar esa maniobra de desperdicio o enajenamiento de la nueva estrella dentro de Hollywood, que como sabemos acabaría llevando al actor a protagonizar un breve pero sin duda brillante exilio en tierras europeas, donde siempre se le valoró más que en los Estados Unidos.

City Beneath the sea (La ciudad bajo el mar) fue dirigida por Budd Boetticher, que había de pasar a la historia del cine como un director especializado en cine del Oeste de serie negra, muy modesto en sus medios, de corte casi independiente, con películas producidas por el actor y protagonista de las mismas, Randolph Scott, pero con propuestas más innovadoras y psicológicamente estimulantes que las aportadas por el western producido en esos mismos años por los grandes estudios. La película era una modesta aventura de serie negra que como todas las películas de su realizador conseguía mantener un extraño equilibrio entre la falta de medios económicos y la calidad de su propuesta interpretativa, convirtiéndose en una pequeña y modesta joya del género en el que se inscribía. El protagonista de la misma fue Robert Ryan, uno de los mejores actores con los que contó el cine norteamericano de género en los años 50, y que, tal como le ocurrió a Quinn, tampoco encajaba por su aspecto en el estereotipo de galán que se estilaba en las producciones de los grandes estudios. Tal circunstancia le relegó, en ventaja de un mejor y más amplio despliegue de sus posibilidades interpretativas, a personajes de villano, antihéroes marginales y producciones de modesto presupuesto liberadas no obstante del yugo conceptual de la explotación industrial que ponía un dogal al cuello en el tratamiento de los temas y los personajes a las producciones de los grandes estudios.

La ciudad bajo el mar se sustentaba sobre todo en el convincente trabajo de Quinn y Ryan interpretando a dos buscadores de tesoros submarinos que compiten por encontrar las riquezas de una antigua urbe sumergida, enfrentando lo peligros tradicionales del género, en una trama previsible, sin grandes sorpresas, cuyo único interés estaba en su reparto.

Boetticher quedó satisfecho de su colaboración con Quinn, que acabó convirtiéndose en una sólida amistad, y le fichó como colaborador para su siguiente proyecto, *Seminole (Traición en fort King),* un western sobre cuyo protagonista, Rock Hudson, el director albergaba serias dudas.

La trama trataba un aspecto de las guerras contra los indios poco explotado por el cine, si bien es cierto que había servido como trasfondo a una película producida por la Warner un año antes con Gary Cooper como protagonista, *Distant drums (Tambores lejanos),* de Raoul Walsh. Los enfrentamientos de los colonos blancos y el ejército de los Estados Unidos contra los indios semínolas que poblaban el territorio de Florida. Un cadete sale con el rango de oficial de la academia militar de West Point. Su primera misión será establecer un tratado de paz con los indios semínolas de Florida. El ambiente y los personajes se prestaban a una producción que hoy se nos antoja exótica, ya que se mueve a medio camino entre las tradiciones del western y el cine de aventuras, pero Boetticher no se hacía grandes ilusiones respecto a este proyecto, que sabía condenado a cumplir escrupulosamente con los estereotipos y ser carne de cañón para programa doble en los cines, así que lo abordó con un aire mecánico, eficaz desde el punto de vista narrativo, pero sin grandes rasgos diferenciadores, moviéndose siempre dentro de lo previsible. Llama no obstante la atención la presencia en el reparto de un secundario, Lee Marvin, que había de alcanzar mayor notoriedad hasta convertirse en una estrella contracorriente cuando los vientos de Hollwyood cambiaran abriendo más el paisaje de posibles héroes de sus películas de acción, con títulos como *The professionals (Los profesionales)* o *The dirty dozen (Doce del patíbulo).* En definitiva, Marvin, como Quinn, hubo de progresar desde los personajes de villano, como el del título en la película *The man who shoot to Liberty Valance (El hombre que mató a Liberty Valance),* de John Ford, hasta los de antihéroes desengañados en los años 60.

Otro western de más claro contenido genérico, *Ride vaquero (Una vida por otra),* de John Farrow, devolvió a Quinn al entorno de la productora MGM tras la dos películas anteriores, producidas por Universal International. En esta ocasión se trataba de una película con estrellas de primera fila de la compañía, cuya presencia en el reparto encarecía el presupuestos hasta situar el filme entre los denominados de serie A. Robert Taylor, Ava Gardner y Howard Keel eran los protagonistas de una trama centrada en el establecimiento de los norteamericanos en Nuevo México a finales de la guerra civil del norte contra el sur en los Estados Unidos. Este movimiento provoca que los nativos de la zona se transformen en bandidos que cuentan entre sus filas con un renegado norteamericano llamado Río. A pesar del despliegue de estrellas protagonistas, cualquiera que haya visto la película habrá podido comprobar que, dado lo estereotipado de su argumento y el exceso melodramático que se imprime a la influencia de una misma dama (Gardner), capaz de destruir la vida de los hombres con los que se relaciona, lo más grato y entretenido de la película es la interpretación de Anthony Quinn, que le imprime un aire de comedia liberador al exceso de tragedia que lastra el filme. Ciertamente no fue una de las mejores interpretaciones del actor, a quien se había situado claramente por debajo de sus verdaderas posibilidades, transformándole nuevamente en adorno en clave de villano secundario, pero, visto en la actualidad, su personaje proporciona al espectador la extraña sensación de que el papel de Quinn es el único que se ha mantenido cerca del público entre tanto actor acartonado por un guión ineficaz en la creación de personajes y tocado por el tópico en todos ellos. Quinn fue el único que, siguiendo la pauta de sus interpretaciones anteriores, supo escapar del acartonamiento que le rodeaba, aportando al personaje unas pequeñas dosis de su propia personalidad, lo que le llevó a convertirse en una especie de animador del resto de la película, aliviador del falso trascendentalismo que caracteriza a este largometraje hoy totalmente caduco y desprovisto del atractivo mítico que gozan otros westerns de su misma época.

Boetticher recuperó a Quinn para otra producción modesta de la United International, *East of Sumatra,* en la que un ingeniero de minas occidental tiene que enfrentarse con un jefe tribal de una isla del Pacífico. El ingeniero en cuestión era Jeff Chandler, otro actor secundario esporádicamente contratado como protagonista para producciones de serie negra, y cuya historia personal es un tanto trágica, ya que, tras protagonizar la mejor película de toda su carrera, *Merril's Marauders (Invasión en Birmania),* dirigida por Samuel Fuller, hubo de someterse a una operación quirúrgica aparentemente sencilla, para solucionar una lesión que había sufrido durante dicho rodaje, y falleció como consecuencia de complicaciones derivadas de una infección generada por dicha intervención. Nuevamente, Quinn interpretaba el papel de villano en esta aventura para ganar la explotación de una mina en un paisaje paradisíaco.

Capítulo VI

— Un mexicano en Europa —

Mediados los años 50, Anthony Quinn estaba cansado del encasillamiento a que le sometía el cine estadounidense y decidió probar suerte en otras latitudes. Su destino fue la cinematografía europea, un camino que se mostraría como muy saludable a la hora de revitalizar su imagen como actor de talento en los pasillos de Hollywood, pero que sobre todo era para el propio Quinn un paréntesis de ruptura necesario para no adocenarse junto a otros actores relegados al papel de secundarios en una industria que empezaba a mostrar los primeros signos de estancamiento e iba camino de experimentar una seria crisis comercial que acabaría atacando seriamente al denominado Sistema de los Estudios. Las grandes productoras habían perdido su omnipotencia en la industria cinematográfica, y a consecuencia de la aplicación de la ley antimonopolio de los Estados Unidos, no podían ya ejercer dominio absoluto sobre todas los eslabones de la cadena de explotación del cine, esto es: producción, distribución y exhibición. En otras palabras, los cines ya no eran propiedad mayoritariamente de los estudios, de manera que la venta en paquetes de sus producciones, y el condicionamiento que podían ejercer para monopolizar los circuitos de exhibición, se había quebrado, abriendo paso a la iniciativa de productoras más modestas e independientes que intentarían llevarse su trozo del pastel cinematográfico que tantos beneficios generaba en los Estados Unidos. Por otra parte, la televisión acabó convirtiéndose en una dura competencia para las producciones cinematográficas en lo que a protagonismo en el tiempo de ocio de los consumidores se refiere, la edad de los consumidores se rebajó hasta quedar mayoritariamente representados por la juventud, y finalmente los grandes estudios se vieron obligados a aceptar una mayor independencia y poder por parte de sus estrellas, al tiempo que la distribuición de sus películas en los mercados extranjeros se convertía en elemento esencial para garantizar la rentabilidad de las mismas.

Todos esos cambios, que vinieron a ser una especie de revolución dentro de los planteamientos tradicionales de la industria del cine norteamericano, y que finalizaron con la denominada «Época dorada de Hollywood», empezaban a gestarse en el ecuador de los años 50, cuando, aburrido de las monótonas elecciones de papel a que le sometía el cine americano, Anthony Quinn decidió cambiar de tercio y «hacer las Europas» en lugar de hacer las Américas.

Lo primero que percibió es que en el viejo continente no tardaron en considerarle toda una estrella y, de hecho, el respeto hacia él fue siempre mayor en tierras europeas que en los Estados Unidos.

La primera película de Quinn en su periplo italiano fue *Donne proibite (Mujeres prohibidas),* dirigida por Giuseppe Amato en 1953. Dos estrellas femeninas del cine italiano, Valentina Cortese y Giulietta Massina, encabezaban el reparto, completado con dos incorporaciones procedentes del cine estadounidense, Quinn y Linda Darnell. El argumento se centraba en la vida de una serie de mujeres «perdidas», lo que le proporcionaba al filme, que en Estados Unidos se tituló *Angels of darkness,* un aire morboso y deprimente.

El siguiente largometraje de ese primer contacto de Quinn con el cine italiano fue *Cavalleria rusticana (Caballería rusticana),* dirigido también en 1953 por Carmine Gallone. En Estados Unidos la película se tituló *Fatal desire (Deseo fatal),* y si en *Donne proibite* el protagonista de nuestro libro era ya el primer papel masculino del reparto, en esta ocasión volvió a ser lo que al parecer no le permitían en el cine americano: protagonista. No obstante, el actor regresó a los Estados Unidos con *Blowing wild (Soplo salvaje),* dirigida por Hugo Fregonese, película-puente en el tránsito de Quinn entre el cine europeo y el norteamericano. El argumento abordaba como tema central la lucha de una mujer, Barbara Stanwyck, por conseguir el poder en los campos de petróleo mexicano. El reparto lo completaban Gary Cooper, Ruth Roman y Ward Bond, y el código según el cual se desarrollaba el filme estaba más cerca del melodrama que del cine de aventuras, con otro personaje racial, Ward «Paco» Conway, para Quinn.

Un nuevo intento en el cine norteamericano llevó a Anthony hasta *The long wait (Tras sus propias huellas),* dirigida por Victor Saville en 1954, el cual representó dos novedades para el actor: en primer lugar, era el protagonista; en segundo lugar, no se aludía a su origen mexicano para caracterizar su personaje, que respondía al muy anglosajón nombre de Johnny McBride. El argumento era en aquel momento una propuesta más original de lo que hoy puede parecernos, después de sufrir la saturación de todo tipo de fábulas policiales sobre asesinos psicópatas y sus variantes. Quinn interpretaba a un amnésico que poco a poco va siguiendo sus propias huellas, como sugiere el título en castellano del filme. Dicha investigación le convence de que es el principal sospechoso de un asesinato. El siguiente paso será descubrir si es inocente o no del crimen que se le imputa.

La película se basaba en una novela policíaca de Mickey Spillane, *La larga espera.* Spillane es uno de los representantes del talante derechista, machista y paternalista en el paisaje de la novela policíaca norteamericana, en cuya carrera destaca la creación del detective Mike Hammer, personaje de marcado talante conservador, cuyas peripecias han sido adaptadas al cine y la televisión en varias ocasiones, poniendo de manifiesto el carácter estereotipado, epidérmico e infantiloide que separa las novelas de Spillane de sus equivalentes en las manos de autores más maduros y reflexivos, como Raymond Chandler o Ross McDonald. Concebidas como puro entretenimiento, lo que durante un tiempo se dio en denominar, peyorativamente, «literatura de quiosco», suelen tener como centro de la trama a un perfecto ejemplo de esquizofrenia paranoide que desconfía de todo lo que le rodea y se siente perseguido o acusado por todos sus congéneres, caso del amnésico interpretado por Anthony Quinn en *Tras sus propias huellas.* Sin embargo, lo cierto es que la película no satisface ni siquiera a los lectores incondicionales de la frecuentemente indigesta narrativa de Spillane, e incluso algunos críticos calificaron esta adaptación con epítetos tan expresivos y contundentes como: «flatulenta versión de una novela de Mickey Spillane».

Los pobres resultados conseguidos por sus dos películas de reingreso en la industria norteamericana del cine confirmaron a Anthony Quinn que seguía sin contar con ofertas interesantes en Hollywood, y le llevaron de vuelta al cine europeo, donde uno de sus más destacados realizadores, Federico Fellini, que con el tiempo había de adquirir talante de auténtico maestro de la cinematografía internacional, estaba buscando a un actor para interpretar uno de los dos papeles protagonistas masculinos en su siguiete largometraje, *La strada (La Strada).*

Nacido en Rimini, Italia, el 29 de enero de 1920, Federico Fellini había empezado a ganarse la vida como caricaturista y dibujante, luego como argumentista y guionista, y finalmente llegó hasta la dirección incorporándose al movimiento del Neorrealismo italiano junto a figuras como Vittorio De Sica o Roberto Rossellini. Antes de que su obra girara hacia los mundos de fantasía expuestos en películas como *Giulietta degli spiriti (Julieta de los espíritus)* u *Otto e mezzo (Ocho y medio),* era ya un poeta genial y consumado a la hora de describir las escenas de lo cotidiano. Fellini empezó a trabajar como director en el año 1950, codirigiendo con Alberto Lattuada *Luci di varietá (Luces de variedades),* y había dado probadas muestras de talento para reflejar la comedia desde unos personajes dolorosamente humanos en películas como *Lo sceicco bianco (El jeque blanco)* o *I vitelloni (Los inútiles).* Sin embargo, hubo de esperar al estreno de su cuarta película, *La Strada,* para conseguir un reconocimiento internacional que se apoyó en buena medida en el Oscar a la mejor película de habla no inglesa que recogió en compañía de su esposa, Giulietta Massina, protagonista del filme junto a Anthony Quinn y Richard Basehart, joven actor que posteriormente había de alcanzar mayor notoriedad interpretando el papel del almirante Nelson en la serie de televisión *Voyage to the bottom of the sea (Viaje al fondo del mar).*

La Strada le proporcionó a su director y a sus intérpretes la atención de la crítica seria, que en Europa empezaba a preparar el terreno para la denominada «política de los autores» difundida desde las páginas de la revista francesa de cine *Cahiers du Cinéma* por el entonces crítico y posteriormente cineasta François Truffaut. Tal teoría venía a afirmar que, así como en la novela el legítimo autor creativo era el novelista, el autor de una película era su director. Tal planteamiento no llegó a aplicarse en la crítica anglosajona hasta la segunda mitad de los años 60, pero influyó poderosamente, junto con la denominada Nouvelle Vague francesa en la manera de concebir el cine en todo el mundo, incluidos lugares tan aparentemente lejanos y ajenos como Estados Unidos o Japón.

La protagonista de la película es Gelsomina (Giulietta Massina), una sencilla muchacha a la que el payaso Zampano (Anthony Quinn), un forzudo ambulante, compra por unas monedas y convierte en su ayudante. Quinn compuso a la perfección el personaje de hombre brutal, movido por instintos animales, sin capacidad aparente para manifestar sentimiento alguno, y mucho menos el amor por su compañera. Pero eso no evita que Gelsomina le ame, hasta su muerte, que desatará en Zampano el reconocimiento de la pérdida y del afecto que sentía por la frágil mujer. Fellini inscribía esta película dentro de su interés por demostrar que el hombre no debe guiarse únicamente por sus impulsos, al tiempo que mostraba a la mujer como redentora de lo masculino, temas por otra parte recurrentes a lo largo de toda su filmografía. Era por otra parte el primer homenaje completo que Fellini le rendía a su esposa en las varias películas donde colaboraron, proporcionando a Massina una imagen de mujer pura, sensible y vulnerable.

Según afirmó el director, la película surgió en su cabeza cuando un día interrumpió el paseo que estaba dando por un camino para internarse en un bosque de pinos donde descubrió la tienda plegada de un circo y una carreta junto a la cual una pareja de gitanos había encendido una hoguera y estaba comiendo, sin pronunciar palabra entre ellos, en un aplastante silencio que hablaba por sí mismo de su incomunicación.

Guillermo Cabrera Infante, en su crítica sobre esta película, la definía como: «La historia de una comunión animal entre un hombre y una mujer. Son dos seres humanos, pero su entendimiento es primitivo, prehumano. Entre ellos corre una oculta corriente de silencio, una neolítica empatía que les une como un fosilizado cordón umbilical. (...) Zampano está interpretado por Anthony Quinn con una comprensión y un fervor propios de un gran actor. Dice Fellini, después de subrayar la elegancia de Quinn, su atractivo latino y su bondad exterior, que le hacían demasiado simpático al público desde el inicio, arruinando el contraste de la conversión final.» Por su parte, el propio Fellini concluía: «pero si se debía hacer una elección entre actores profesionales, debo reconocer que Quinn, ciertamente, es el mejor adaptado al nada fácil rol».

Junto a este personaje de hombre a la búsqueda de los sentimientos, que destaca como uno de los más complejos y ricos de su vida, Anthony Quinn prolongó su vinculación al cine italiano para participar en una muestra de cine «peplum», o «de romanos», dedicada a recrear el viaje de regreso del mítico héroe griego Ulises a Ítaca, donde espera volver a encontrarse con su esposa, tras haber combatido en la guerra de Troya durante diez años. Su periplo de retorno está narrado en *La Odisea,* de Homero, adaptada a la pantalla en varias ocasiones desde los tiempos del cine mudo, siendo la primera versión que se conoce *El retorno de Ulises*, filmada en Francia con técnicas muy primitivas en el año 1908, y centrada, como su título indica, en la llegada del guerrero a Ítaca.

La versión en la que participó Anthony Quinn está bien considerada por los aficionados a las películas sobre la antigüedad. Titulada *Ulisse (Ulises),* y producida en 1954 por Carlo Ponti y Dino De Laurentiis, era una coproducción italo-americana en la que participaron la productora Lux, de Italia, y la Paramount, de Estados Unidos. El guión estaba escrito en inglés, y en el reparto se alternaba la presencia de estrellas del cine norteamericano, como Kirk Douglas o el propio Anthony Quinn, y figuras del cine italiano, como Silvana Mangano o Rossana Podesta.

Inicialmente estaba previsto que fuera el realizador alemán George Wilhelm Pabst el que se ocupara de dirigir el filme. Nacido en

Bohemia, Austria, en 1895, Pabst era un maestro del cine mudo que escribió parte del guión de *Ulises* y trabajó activamente en su preproducción, pero finalmente fue sustituido por el italiano Mario Camerin. En el guión de la película destacaban también los nombres de Ben Hecht y de Irving Shaw.

Nuevamente el papel que le correspondió jugar a Quinn fue el de villano, sombra negativa del héroe interpretado por Kirk Douglas, que fue su compañero en otras dos películas, *The last train from Gunn Hill (El último tren de Gunn Hill)* y *Lust for life (El loco del pelo rojo)*. En esta primera muestra de colaboración entre ambos, Quinn era Antinoo, el pretendiente más arrogante y violento entre los que aspiraban a conseguir la mano de la esposa de Ulises, interpretado por Douglas. A Ulises se le da por muerto tras años de ausencia, pero su supuesta viuda, Penélope, interpretada por Silvana Mangano, sigue alentando la idea de que el héroe continúa con vida, y mantiene controlados con distintos juegos a quienes aspiran a convertirse en su nuevo marido para heredar todas las riquezas de Ulises. Pero la paciencia de los pretendientes se va agotando a medida que pasa el tiempo, y mientras Ulises se enfrenta a todo tipo de peligros para regresar a su hogar.

Si a Douglas le correspondía mantener la parte aventurera de la trama, enfrentándose con distintas trampas, como el cíclope Polifemo, las tormentas en el mar, el canto de las sirenas, las tentaciones de Circe, ver a sus hombres convertidos en cerdos, etcétera, a Quinn le correspondió mantener viva la parte más dramática y estática de la película, la protagonizada por el duelo entre Penélope y Antinoo, hasta que Ulises/Douglas consigue regresar a Ítaca disfrazado de mendigo, tensa el arco que será la prueba definitiva para volver a conseguir la mano de su esposa y se enfrenta a los pretendientes liderados por Quinn/Antinoo.

El principal problema de la película derivó de su carácter de coproducción, ya que las voces originales de Douglas y Quinn fueron dobladas por actores italianos que restaron el vigor aportado por las interpretaciones originales a los personajes. Por otra parte, el estilo de interpretación de los dos actores no era el mismo que empleaban los integrantes italianos del reparto. Finalmente, lo más acertado de la película fueron sus espectaculares decorados, construidos en los estudios italianos Ponti-De Laurentiis, y el esfuerzo que realizaron los responsables del proyecto por llevar a cabo localizaciones en distintos puntos del Mediterráneo que, según afirmaron en la propaganda del fime, correspondían directamente los citados en la obra de Homero.

El mismo año en que completó su trabajo en *Ulises,* Anthony Quinn tomó también parte en el rodaje de otra película italiana, *Attila (Atila, hombre o demonio),* dirigida por Pietro Francisci. Curiosamente, ese mismo año Hollywood ofreció su propia versión de la figura del bárbaro que puso de rodillas a Roma, titulada *Sign of the pagan (Atila, rey de los hunos),* dirigida por un realizador más propio del melodrama, como fue Douglas Sirk.

Esta coincidiencia en el tiempo de dos proyectos sobre un mismo tema no es casual ni tampoco tan rara como pueda parecer. Son muchos los ejemplos que se recuerdan de proyectos enfrentados en una carrera por llegar en primer lugar a esa meta que es el estreno comercial en las salas, y en algunos casos son muchos los que se quedan en el camino sin llegar a convertirse finalmente en película. Poco después del «duelo» entre estos dos Atila, la versión de *Cleopatra (Cleopatra),* protagonizada por Elizabeth Taylor y rodada en 1962 por Joseph Leo Mankiewicz a un alto coste, que estuvo a punto de hacer quebrar a la productora 20Th Century Fox tras su inicial fracaso comercial, se vio acompañada por el rodaje de una versión italiana en clave de «peplum», rodada al mismo tiempo que la norteamericana y titulada *Cleopatra (Una reina para César).*

Años más tarde, Kirk Douglas vivió una circunstancia parecida cuando como productor y protagonista adquirió los derechos de la novela de Howard Fast para poner en pie *Spartacus (Espartaco),* y se encontró con que Yul Brynner estaba desarrollando para otra productora un proyecto centrado en el mismo personaje, titulada *The Gladiators,* y basada en otra novela en torno al mismo personaje escrita por Arthur Koestler. A Douglas le costó no pocas negociaciones conseguir que su versión de la rebelión de los gladiadores contra Roma fuera finalmente la que sobreviviera hasta llegar a la cartelera, anulando el proyecto de Brynner.

Lo curioso del caso de las dos versiones de Atila radica en que fue un nuevo cruce de destinos de dos de los suplentes de Marlon Brando en las representaciones teatrales de *Un tranvía llamado Deseo,* ya que si Anthony Quinn era el Atila de la versión italiana, Jack Palance era el Atila de la versión norteamericana.

La primera consideración respecto a ambas películas es que las dos presentan al personaje y sus peripecias desde perspectivas diferentes. En *Atila, hombre o demonio*, se aprecia algo más de respeto hacia los hechos históricos, si bien es cierto que los artífices del filme se tomaron no pocas libertades a la hora de repartir personajes y acontecimientos por la trama de la película. El argumento muestra al emperador romano de Occidente, Valentiniano, dominado por su madre y poco capaz de resistirse a las invasiones de los bárbaros hunos. El único que parece dispuesto a remediar la situación es un general romano de origen bárbaro, Aecio, que intenta establecer una alianza con Atila, interpretado por Quinn, para resistir al empuje del resto de la horda invasora. La hermana del emperador, Honoria, papel interpretado por Sofía Loren, se ofrece en matrimonio a Atila para hacerse con el poder, lo que lleva al bárbaro a asesinar a su propio hermano y cruzar los Alpes camino de Roma, enfrentándose y derrotando al general Aecio, que muere en el combate de los Campos Cataláunicos, dejando paso franco a las hordas bárbaras hasta las puertas de Roma, donde sorprendentemente el Papa consigue convencer a Atila para que no asole la ciudad. Entre las inexactitudes históricas de la película hay que apuntar el hecho de que Aecio ganó la batalla de los Campos Cataláunicos, aunque los guionistas de la película llegaron a la conclusión de que tal retraso hacía demasiado lenta la narración de la versión cinematográfica. Anthony tuvo que lidiar en esta ocasión con un guión que apenas trazaba un esbozo de los personajes principales de la trama, lo que dio como resultado una de sus interpretaciones más planas y desorientadas, que reducía al caudillo bárbaro a un papel de asesino sin motivaciones demasiado claras, capaz de retirarse demasiado precipitadamente de las puertas de Roma, la ciudad que había soñado conquistar, en un desenlace tan poco creíble como el propio protagonista.

Tuvo mejor suerte con el guión Jack Palance en la versión dirigida por Douglas Sirk, que también protagonizó Jeff Chandler. Sin embargo, cualquier parecido de su trama con la realidad histórica era pura coincidencia. Todos los hechos reales se trastocaron para acomodarlos mejor a la narración cinematográfica, facilitando no obstante más posibilidades de credibilidad al Atila interpretado por Palance que al Atila encarnado por Quinn. No obstante, en cuanto a espectáculo, salía ganando la versión interpretada por el actor nacido en Chihuahua, frente a las evidentes carencias de presupuesto en la recreación de los ambientes bizantinos y romanos de la que adolecía *Atila, rey de los hunos.* En definitiva ésta no era sino una producción dirigida con poca convicción por un realizador más interesado en poner en pantalla melodramas modernos que grandes tragedias de la antigüedad. En el terreno de los decorados dedicados a recrear la antigua Roma y el Imperio de Bizancio, *Atila, hombre o demonio,* contaba con la ventaja de la pericia y veteranía de los decoradores italianos en estos menesteres, avalada por una larga tradición de filmes dedicados al género «peplum», o «de romanos». Por una vez, el cine europeo llevaba ventaja en algo relacionado con el espectáculo a la fábrica de sueños organizada en Hollywood.

Atila, hombre o demonio, puso fin momentáneamente a la relación de Anthony Quinn con el cine europeo. El actor regresó a los Estados Unidos para proseguir su carrera con el largometraje titulado *The naked street (La calle desnuda),* dirigido en 1955 por Maxwell Shane. El actor era nuevamente el villano de la trama, un destacado jefe del crimen organizado que libera a un condenado a muerte, interpretado por Farley Granger, porque ha dejado embarazada a su hermana, interpretada por la genial, pero en aquellos momentos todavía joven, Anne Bancroft. En el reparto destacaba también la presencia de Peter Graves, que en los años 60 alcanzaría gran notoriedad interpretando el papel del jefe de operaciones de los espías protagonistas de la serie de televisión *Misión imposible.* Los críticos calificaron la película como un satisfactorio drama criminal cuya mejor carta eran las interpretaciones de sus tres protagonistas, y ciertamente a Quinn, que había trabajado e iba a interpretar a numerosos tipos mafiosos en su vida, no le resultó demasiado difícil representar un personaje que además mostraba una forma de entender los lazos de familia tan singular como para facilitarle una composición de personaje más completa que la que había podido desplegar en los villanos de cine histórico que tenía más recientes en su filmografía. El aire documental aplicado a los ambientes criminales acercaba esta producción al ámbito de la narrativa policial en la línea de «crook story», las historias criminales, facilitando además un mayor realismo al conjunto del largometraje, que merced a estas condiciones ha resistido bien el paso del tiempo.

La siguiente parada en la filmografía de Quinn en Hollywood es una rareza exótica inscrita en el cine de aventuras, pero sirve al mismo tiempo como muestra de que el cine americano había aceptado finalmente al actor como posible protagonista capaz de cargar sobre sus propias espaldas al menos una película de aventuras similar a todas aquellas en las que había participado previamente como secundario. Buscando nuevos caminos para el género, los productores de *Seven cities of gold (Las siete ciudades de oro),* dirigida por Robert D. Webb en 1955, le dieron a Anthony Quinn el papel del capitán Gaspar de Portola, reponsable de una expedición que en el año 1796 manda España a recorrer las tierras de California, en un intento por ampliar con las mismas el territorio de México. En la expedición viaja también el padre Fray Junípero Serra, interpretado por Michael Rennie, que había obtenido cierta popularidad entre los aficionados al cine de aventuras interpretando al visitante extraterrestre de *The day the earth stood still (Ultimátum a la Tierra).* Jefrey Hunter interpretaba a un nativo del lugar, Matuwir, poniendo la nota de color que paradójicamente años antes era tradicionalmente adjudicada al actor protagonista. Le acompañaba en tal cometido Rita Moreno en el papel de la india Ula, mientras Richard Egan interpretaba el papel de otro conquistador español en la partida, José Mendoza. Definido por algunos críticos como «un western semihistórico y semirreligioso», era en realidad una película de aventuras que incluía algunas escenas curiosas, pero desde el punto de vista épico resultaba una pobre ilustración del hecho histórico que relataba.

Bud Boetticher recuperó a Anthony Quinn, ahora como protagonista, en *The magnificent matador (Santos, el magnífico),* largometraje filmado en el año 1955 donde el actor interpretaba a Luis Santos, célebre matador de toros mexicano que pasa por un momento de crisis de confianza en sí mismo tras tener una premonición sobre su propia muerte en el ruedo. Maureen O'Hara interpretaba el papel de la mujer norteamericana que intenta servirle como paño de lágrimas, pero no consigue aliviar su desesperanza ni apartarle de los ruedos. Filmada en México, la película era un homenaje de su director al arte del toreo. Boetticher era un rendido admirador de la fiesta taurina, e incluso se permitió el lujo de dar él unos cuantos capotazos como matador en alguna ocasión. Era por otra parte sintomático que Quinn finalmente pudiera volver una vez más a su origen mexicano para componer en esta ocasión un personaje protagonista y psicológicamente complejo, pero que al mismo tiempo representaba un icono de heroísmo a ambos lados de la frontera. El mundo de los toros aportaba a la película su aspecto más espectacular, incorporando al rodaje a auténticos diestros que además se interpretaban a sí mismos, como Jesús «Chucho» Solórzano, Joaquín Rodríguez «Cagancho», Rafael Rodríguez, Antonio Velásquez o Jorge «Ranchero» Aguilar, Félix Briones o Nacho Treviño. Junto a este elemento de riesgo y suspense, la trama romántica resultaba la parte más endeble del conjunto, posiblemente porque también era la que menos le interesaba al director, más entusiasmado con retratar la imagen de la fiesta taurina.

Capítulo VII

— El segundo Oscar —

La productora United Artists había conseguido un rotundo éxito en Estados Unidos con *Moulin Rouge,* la adaptación al cine de la vida del pintor Toulouse Lautrec perfilada con mano firme por John Huston en colaboración con el actor José Ferrer. Fueron estos buenos resultados los que estimularon a la MGM a poner en marcha un proyecto de adaptación de la novela *Lust for life (Anhelo de vivir)*, de Irving Stone, cuyos derechos para el traslado al cine habían comprado hacía años. El libro de Stone era un recorrido por la torturada existencia del pintor Vincent van Gogh.

El primer reto con el que se enfrentaron los responsables del proyecto de adaptación fue la caducidad de los derechos sobre la novela de Stone. El plazo por el cual MGM era la legítima propietaria de los mismos expiraba en el mes de diciembre de 1955, y cuando los responsables del estudio empezaron a valorar seriamente la posibilidad de hacer la película se encontraban ya en el mes de marzo de ese mismo año. El primer movimiento de la productora fue proponer la prolongación del plazo, pero el autor de la novela rechazó esa posibilidad, molesto porque el estudio hubiera dejado transcurrir tanto tiempo sin llegar a hacer la película. Además, Stone había llegado a una curiosa y arriesgada conclusión: el mejor director para la adaptación de su novela era él mismo. La clave estaba ahora en conseguir un equipo capaz de comprometerse a terminar la preproducción, el rodaje, el montaje y de hecho toda la película antes de que expirara el plazo final de ese año. Diciembre era la fecha límite para que *Anhelo de vivir* se convirtiera en un largometraje con el sello MGM. Caso contrario, Stone recuperaba los derechos para la adaptación al cine de su obra. El director Vincente Minnelli y el productor John Houseman se comprometieron a conseguirlo, pero, para acabar de complicar las cosas, el primero hubo de terminar en primer lugar la adaptación de *Kismet*, un musical de Broadway cuyo paso a la pantalla grande fue un sonoro fracaso.

Entre otras cosas, el equipo de localización de exteriores enviado por la productora a la localidad de Arlés, Francia, para poner en marcha el proyecto de adaptación de la vida de Van Gogh tuvo que pasar dos meses en el lugar esperando la llegada de Minnelli y, mientras el realizador se liberaba de *Kismet,* intentaron mantener artificialmente un campo de margaritas que empezaban a someterse al inexorable ciclo natural, y estaban a punto de desaparecer para dejar paso a un paisaje poco relacionado con los cuadros del genial pintor de Arlés. Esta circunstancia, y el hecho de que faltaran cinco meses para perder sus derechos sobre el libro, ponía particularmente nerviosos a los responsables de la Metro Goldwyn Mayer. El hecho de que fuera la primera vez que Vincente Minnelli se enfrentaba a un rodaje en localizaciones no contribuía a proporcionarle mayor tranquilidad a los inversores. Cierto es que en aquel momento rodar fuera del estudio, en localizaciones, no era nada nuevo en Hollywood, pero no es menos cierto que el realizador era un debutante en tal menester.

Por otra parte, según el plan de rodaje, Minnelli tenía que iniciar la filmación con la secuencia casi final de la película: el suicidio del pintor. Tal planteamiento no le gustaba. Empezar un rodaje que presumía largo y complejo con una de las escenas más importantes de la película se le antojaba al director excesivamente arriesgado. Al contrario que los responsables del estudio, Minnelli estaba convencido de que contaba con tiempo suficiente para terminar la película en fecha.

A todos estos inconvenientes se unió el hecho de que el productor, John Houseman, que había colaborado con Orson Welles fundando la célebre compañía Mercury Theater, sólo aceptó trabajar en el proyecto con la condición de que las pinturas empleadas en la película como obra del pintor protagonista fueran copias exactas y cuidadosas de las obras originales. Para conseguirlo fue necesario emplear un procedimiento especial para fotografíar las pinturas originales, que se reprodujeron en placas o ilustraciones de 20 por 25 centímetros, pegándose posteriormente sobre un lienzo en el departamento fotográfico del estudio. A continuación se incrementó su tamaño hasta convertirlas en unas enormes diapositivas iluminadas por detrás, consiguiendo que fueran réplicas exactas de la obra del artista, hasta el punto de que reproducían incluso los golpes de pincel de Van Gogh sobre la tela.

También fue preciso solucionar otros detalles técnicos de la película. Por ejemplo, no se podía rodar en Cinemascope, ya que las dimensiones de la imagen resultantes casaban mal con la dimensión más habitual de las telas. Sin embargo, uno de los responsables de la productora, Arthur Loew, se empeñó en emplear el sistema Cinemascope y no estaba dispuesto a dejarse convencer de lo contrario por Houseman y Minnelli. Finalmente, se empleó el Cinemascope, ya que, según explicó Loew, ése era el formato en el que iba a exhibirse la película en los cines.

Por su parte Minnelli estaba convencido de que los negativos Eastman, que empleaba habitualmente la productora MGM en sus películas, no respondían a las necesidades de color de los cuadros incorporados a la imagen de la película, que finalmente se tituló *Lust for life (El loco del pelo rojo).* La moda del color en Hollywood en aquel momento era manejar la asociación del Cinemascope con el Eastmancolor. Al parecer esa paleta de colores, con rojos, azules y amarillos intensos, había sido puesta a punto por la productora Fox para el largometraje *The robe (La túnica sagrada),* pero a Minnelli, gran aficionado a la pintura, le parecía insuficiente para reflejar con realismo la vida y la obra de Van Gogh. El director convenció finalmente a la productora para que adquiriera una ultima partida de negativo de la firma Ansco, que había dejado de fabricarse en color. Además, Minnelli logró que dicha empresa abriera un laboratorio exclusivamente para tratar el material que iban a filmar para la película.

Todos estos detalles hicieron de la película una pequeña joya de la historia del cine, y una de las mejores asociaciones entre pintura y celuloide que se recuerda. El cine encontró su camino hacia el arte con esa película protagonizada por una de las figuras más enigmáticas que puede ofrecer la pintura. Buena parte del mérito de ello fue de Frederick Young, el director de fotografía de películas como *Ryan's dughter (La hija de Ryan)* o *Lawrence of Araby (Lawrence de Arabia),* que consiguió acercarse al máximo a las condiciones de luz del mundo en el que habitó Vincent van Gogh.

La elección de los actores planteó nuevas anécdotas que añadir al recorrido de preparación del proyecto. La elección de Kirk Douglas para el papel de Van Gogh estaba casi obligada por las circunstancias, aunque posteriormente Vincente Minnelli la haya justificado en el hecho del parecido físico del actor con el pintor. Lo cierto era que Douglas había comprado los derechos de otra novela sobre Van Gogh y pensaba producirla con su compañía. La mejor manera de impedir una contienda similar a la que había de darse posteriormente con *Espartaco*, de la que hemos hablado anteriormente, era incorporar a Douglas al proyecto de la MGM, lo que permitió que el actor consiguiera su objetivo, interpretar a Van Gogh, y la productora desarrollara su película sin competir con otro proyecto similar. Pero para contar con Douglas, la MGM tuvo que hacer varias concesiones al actor. La primera fue atenuar, limar y hacer desaparecer casi totalmente las notas homosexuales del personaje Van Gogh.

Anthony Quinn se incorporó más tarde al proyecto que Douglas y el resto del equipo, al que encontró en Francia aproximadamente dos semanas después de que se iniciara el rodaje. Quinn, que como es sabido también era un apasionado de la pintura y del arte en general, hasta el punto de llegar a simultanear su actividad como actor con su actividad como pintor, llegando a exponer sus obras en varias galerías, se sintió algo celoso por los elogios que escuchaba sobre el protagonista de la película, lo que le llevó a comentar, medio en serio y medio en broma: «Desde que he llegado no dejo de escuchar comentarios sobre el talento de Kirk. Empiezo a entender cómo debió sentirse Paul Gauguin cuando llegó a Arlés.» El actor aludía al encuentro entre Van Gogh y Paul Gauguin en Arles, donde el primero quería asociarse con el segundo para formar una nueva escuela artística, pero de una manera obsesiva y posesiva que en la película se señala como el motivo por el cual se producirá la ruptura de la amistad entre los dos artistas.

El planteamiento argumental de la película mostraba la llegada de Gauguin/Quinnn a Arlés, como uno de los momentos más destacados de la película y el elemento central del segundo acto del filme. Gauguin, que tiene una personalidad opuesta a Van Gogh, se manifestó como un auténtico talismán para Anthony Quinn, que encontró en el personaje del pintor un alma casi gemela, que era capaz de entender en su totalidad y que interpretó en un arrebato de genio similar al desplegado por Douglas, en el que la crítica suele considerar, casi por unanimidad, como el mejor papel de toda su carrera en el cine.

Ambos actores fueron nominados al Oscar, Douglas como actor principal, y Quinn, por segunda vez en su vida, como actor de reparto, que no secundario, porque de ningún modo su aportación a la película era un adorno, sino todo lo contrario: el Gauguin de Quinn es uno de los retratos más completos del pintor que ha proporcionado el cine. Anthony ganó la segunda estatuilla de su carrera batiendo alguna especie de récord, ya que aparecía en la película durante un total de ocho minutos de metraje.

Sorprende que el Oscar a la mejor película, categoría para la cual *El loco del pelo rojo* ni siquiera consiguió nominación, fuera a parar ese año a *Around the world in 80 days (La vuelta al mundo en ochenta días),* adaptación de la novela de Julio Verne dirigida por Michael Anderson. También sorprende que el Oscar al mejor actor principal fuera para Yul Brynner por su trabajo en *The king and I (El rey y yo),* adaptación cinematográfica de una obra musical que había protagonizado también en su montaje teatral. Douglas se quedó sin la estatuilla por su afinada interpretación de Vincent van Gogh, lo mismo que le ocurrió al ya fallecido James Dean por el último trabajo de su vida, *Giant (Gigante);* a Rock Hudson por esa misma película, o a Laurence Olivier por *Richard III (Ricardo III)*. Curiosamente Quinn vio recompensados los comentarios de elogio a Douglas con que le regalaron sus compañeros de equipo cuando llegó a Francia, consiguiendo lo que su compañero de reparto y protagonista principal de la película no había podido conseguir: el Oscar al mejor actor secundario por su recreación de Paul Gauguin. Batió a Don Murray, nominado por *Bus Stop (Bus Stop)*; Anthony Perkins, nominado por *Friendly Persuasion (La gran prueba)*; Mickey Rooney, por *The blood and the brave (Amanecer sangriento)*, y Robert Stack por *Written en the wind (Escrito sobre el viento)*.

Después de darse el placer de interpretar un personaje como Paul Gauguin, Quinn demostró que seguía siendo el actor incansable capaz de aceptar todo tipo de proyectos para mantener viva su carrera, lo que le llevó hasta el papel protagonista en un western menor titulado *Man from Del Río*, dirigido por Harry Horner en 1956. En esta película el actor interpretaba el papel de Dave Robles, un pistolero mexicano que, tras liquidar al pistolero convertido en sheriff de una pequeña ciudad, es invitado a ocupar el lugar de su víctima, poniéndose la estrella en el pecho. El argumento, tópico y recurrente, era sin embargo una excelente oportunidad para que el actor volviera a demostrar su capacidad para mantener en pie una película simplemente con su capacidad para acercar al público sus personajes. En el reparto le acompañó Katy Jurado, y el resultado fue un western modesto pero eficaz, con algunas escenas ciertamente brutales, duelos y todos los elementos tradicionales del género. La opinión general de la crítica fue, como en otras ocasiones, que el actor estaba muy por encima del peregrino guión que le tocó interpretar.

Notre Dame de Paris (Nuestra Señora de París, The hunchback of Notre Dame, I misteri di Parigi) trajo de vuelta al cine europeo a Anthony Quinn en el año 1956. La película era una nueva adaptación de la obra de Víctor Hugo, que tenía por protagonista al jorobado Quasimodo, papel interpretado por el actor de Chihuahua. El proyecto se planteó como una coprodución entre Italia y Francia. Dirigida por Jean Delannoy, la película jugaba con una grotesca caracterización para su protagonista masculino, al tiempo que exhibía como anzuelo y contraste la desbordante belleza de la italiana Gina Lollobrigida en el papel de la gitana Esmeralda.

En su trabajo como el campanero Quasimodo, Quinn tenía que luchar con la imagen que tal personaje había adquirido en el cine a través de las interpretaciones que de dicho personaje había hecho Lon Chaney en el cine mudo en 1923, bajo la dirección de Wallace Worsley, y Charles Laughton en la versión del cine sonoro rodada en 1939 con William Dieterle como director y Maureen O'Hara como protagonista. Su interpretación le proporcionó al jorobado un aire inquietante, siguiendo la pauta marcada por el director, que quería darle a su versión de la obra de Hugo una doble personalidad como relato romántico en paisaje histórico y un toque de fábula terrorífica. Tal como empezaba a ser habitual, Quinn estaba no sólo por encima del maquillaje grotesco que le aplicaban cada día en agotadoras sesiones de madrugada, horas antes de iniciar el rodaje, sino que además consiguió aportarle al personaje una dignidad humana donde en versiones anteriores había brillado sobre todo su papel como víctima del destino, del amor, de la sociedad, y sobre todo de la figura paterna representada por el ambicioso y celoso sacerdote que le acogió bajo su protección y no duda en utilizarlo como instrumento de sus crímenes. Cuando esta opulenta versión de la novela de Víctor Hugo se estrenó en Estados Unidos, la distribuidora cambió su título americano por *Hunchback of Paris,* al efecto de no tener dificultades legales frente a la version anterior de Charles Laughton.

De regreso en Estados Unidos, Anthony Quinn encabezó el reparto de *The wild party,* dirigida por Harry Horner. Se trataba de un relato criminal en la vertiente del género negro «crook story», dedicada a reflejar la vida de los delincuentes, en este caso un ex jugador de futbol americano que se asocia con un grupo de individuos marginales para perpetrar el secuestro de una pareja en la ciudad de Los Ángeles.

Al año siguiente, el actor fue el coprotagonista masculino de *The rivers edge (Al borde del río),* dirigida por Allan Dwann y con Ray Milland como cabecera del reparto. Quinn interpretaba a un fugitivo de la justicia acusado de asesinato que obliga a su ex amante y al marido de ésta, un granjero, a guiarle hasta las montañas de México, dando lugar a un correcto melodrama criminal que merece una revisión por el trabajo de sus actores, entre los que hay que destacar también la presencia de Debra Paget. Dwann consiguió poner en pantalla una película de género algo superior de calidad a la media de los productos relacionados con la temática criminal.

The ride back (El retorno del forajido) también era cine de género, en este caso del Oeste, y, como la mayoría de las películas protagonizadas por Anthony Quinn en este periodo, tenía un carácter puramente alimenticio para el actor, si bien es cierto que éste no dudó en invertir todo el esfuerzo de que era capaz en aquel momento para escapar del tópico y dar su propia versión del personaje de bandido perseguido que le tocó desempeñar en esta ocasión. El argumento de la película se centró en un sheriff que viaja hasta México para capturar a un fugado y llevarlo de vuelta a los Estados Unidos. El papel de sheriff fue interpretado por William Conrad, actor que entre 1971 y 1976 se hizo muy popular en la pequeña pantalla interpretando la serie de detectives *Cannon.* El perseguido era naturalmente un trabajo para Quinn. Puede decirse que *El retorno del forajido* es una película con sorpresa, ya que tras el aparentemente estéril y reiterativo juego con los esquemas del western más tradicional y modesto, puro proyecto de serie negra, se esconde un curioso y sorprendente estudio de caracteres centrado en los personajes de perseguidor y perseguido.

Junto a estos trabajos que podríamos calificar como de encargo, Quinn encontró un proyecto que le permitía salvar su imagen como actor de calidad en una película y un personaje de mayor envergadura que sus peripecias genéricas adscritas a la serie negra. La película se titulaba *Wild is the wind (Viento salvaje),* y la dirigió George Cukor en 1957.

Viento salvaje es un melodrama basado en la novela de Vittorio Nino Novarese. La historia se desarrolla en un rancho de Nevada, donde Gioia, papel interpretado por la actriz italiana Anna Magnani, que saltó a la fama como protagonista de *Roma cittá aperta (Roma ciudad abierta)* y participó en varias producciones de Hollywood, se casa con Gino/Anthony Quinn, el propietario del rancho, a quien la hermana de Gioia dejó viudo. La mujer no tarda en enamorarse de su hijastro, Bene, papel interpretado por el actor Anthony Franciosa, actor que nunca llegó a encontrar su camino hacia el estrellato en el cine, pero tuvo varios éxitos en televisión. A pesar de encontrarse en un género que dominaba, el drama, y de disponer de un argumento en cierto modo escandaloso con un incesto sugerido y diferencia de edad entre los amantes, elementos poco habituales en los rompecabezas argumentales elaborados por Hollywood, el director falló a la hora de contar esta arquetípica historia de triángulo, quizá porque quiso buscar algo singular en la misma, a pesar de que el guión no apuntaba carácter alguno que diferenciara esta peripecia a ratos bien solventada por el acierto de sus intérpretes, más que por el acierto de su director. Cukor supo sacarle todo el partido posible al enfrentamiento entre Quinn y Magnani, dejando pasar una oportunidad de oro para exprimir el talento de dos de las personalidades más carismáticas que se asomaban a las pantallas cinematográficas en aquel momento. Cierto es que la elección de Franciosa como tercero en discordia fue un grave error de selección de reparto, ya que la capacidad de éste estaba muy por debajo de la de los dos protagonistas del filme.

Por otra parte, el rodaje fue otro pequeño drama en sí mismo, ajeno al que contaba la película. Anna Magnani se mostró particularmente difícil de tratar, especialmente con Anthony Quinn. Al parecer, al final del rodaje ambos actores no podían aguantarse mutuamente, pero curiosamente la actriz había establecido excelentes relaciones personales con el otro Anthony del reparto, Franciosa. En cierto modo, el planteamiento argumental del filme parecía repetirse en la realidad: Quinn era dejado de lado por la actriz en beneficio de Franciosa. Tan íntimas y al mismo tiempo públicas llegaron a ser las relaciones de la italiana con el italo-americano, que la novia de éste en aquel momento, la también actriz Shelley Winters, hubo de presentarse en el rodaje para reclamarle a Franciosa que cumpliera su promesa de casarse con ella, cosa que hicieron, añadiendo una anécdota promocional al filme, que hubo de interrumpir su rodaje para que pudiera celebrarse la boda.

Al regresar al rodaje, Magnani, Quinn y Franciosa establecieron una especie de duelo a tres para ver quién conseguía más primeros planos, superando a sus compañeros. No obstante las peleas y el desequilibrio del reparto, Quinn consiguió otra nominación al Oscar, en esta ocasión como actor principal, por su trabajo en esta producción, pero ciertamente no era un buen año para optar a premio. Entre sus competidores estaban Alec Guinness, que ganó por su trabajo en *The bridge on the River Kwai (El puente sobre el río Kwai);* Marlon Brando, que optaba al premio por *Sayonara;* Charles Laughton, por *Witness of prosecution (Testigo de cargo),* e incluso su propio compañero de reparto, Anthony Franciosa, por *A handful of rain (Un sombrero lleno de lluvia).*

Black orchid (Orquídea negra), dirigida por Martin Ritt, era otro melodrama y volvió a poner en contacto a Quinn con una actriz italiana a la que ya conocía desde los tiempos en que rodó *Atila, hombre o demonio*: Sofía Loren. La película estaba planteada como una historia de amor entre una viuda, cuyo marido ha sido asesinado por la mafia, lo que la obliga a mantener a sus hijos vendiendo flores artificiales, y un hombre, también viudo, que se siente atraído hacia ella, pero finalmente tendrá que dejarla a un lado a consecuencia de la oposición de su hija a tal romance. Ambientada en Nueva York, la película pecaba de un exceso de gesticulación por parte de sus protagonistas, llevados por cierto histrionismo, que perjudicó a una historia que inicialmente parecía concebida para el lucimiento de ambos actores.

Hot spell, rodada en 1958 por Daniel Mann y George Cukor, se ambientaba en una pequeña localidad del sur, donde un marido está dispuesto a abandonar a su mujer y a sus hijos por una muchacha de veinte años. Se trataba de la adaptación de la obra *Next of kin,* de Lonnie Coleman, y en el reparto destacaba la presencia de Shirley MacLaine, interpretando a la joven robamaridos de una historia excesiva en su talante melodramático hasta aproximarse a provocar carcajadas en lugar de sentimientos en el espectador. Quinn se dejó llevar nuevamente hasta la sobreactuación, sin que ninguno de los dos directores implicados en el proyecto pudiera ponerle fin a su sobreactuación. El final de la película resultaba suficientemente absurdo como para ser involuntariamente jocoso. El tiempo no le ha hecho ningún favor a esta película, de la que se puede prescindir en el conjunto de la filmografía de su protagonista masculino.

En 1959, Anthony Quinn volvió al western, pero en esta ocasión con una producción de mayor presupuesto que las de serie B que había frecuentado dentro de ese mismo género previamente. *Warlock (El hombre de las pistolas de oro)* fue dirigida por el eficaz Edward Dmytryk, y Quinn era uno de sus tres destacados protagonistas junto a Henry Fonda y Richard Widmark. En realidad se trataba de un western poco habitual, cuyo desarrollo presenta una alternancia de protagonistas y de los papeles de héroes y villanos.

El argumento partía de figuras míticas del Lejano Oeste, como Wyatt Earp o Wild Bill Hickcok, que impartían justicia a golpe de revólver cuando los habitantes de las ciudades que les contrataban querían librarse de la delincuencia. El talante paternalista de este tipo de personajes les llevaba a imponerse finalmente como amenaza despótica de los mismos pacíficos ciudadanos que les habían contratado. En *El hombre de las pistolas de oro* Henry Fonda interpretaba a un rápido y eficaz pistolero que, junto con su socio, interpretado por Anthony Quinn, acude a una ciudad que le reclama como justiciero para expulsar a una banda de vaqueros particularmente violentos a la hora de festejar sus días libres en los establecimientos de la urbe. Una vez que controla a los albororotadores, el pistolero se convierte en la nueva autoridad absoluta del lugar, imponiendo unas normas despóticas y quedándose en la ciudad en contra del consejo de su socio. Es entonces cuando la misma gente que contrató al pistolero convence a uno de los vaqueros expulsados, interpretado por Richard Widmark, de que restaure el orden en contra del nuevo «amo», cosa que hará enfrentándose con él en un duelo.

El dúo integrado por Quinn y Fonda recordaba otra pareja de hombres que había conseguido gran éxito comercial en el año 1957, la formada por Kirk Douglas y Burt Lancaster en *Gunfight at the O.K. Corral (Duelo de titanes)*, dirigida por John Sturges. En dicho filme, Douglas había interpretado a Doc Holliday, el célebre compañero del sheriff, jugador y pistolero Wyatt Earp, que encarnó Lancaster. Con *El hombre de las pistolas de oro* se intentaba repetir la fórmula, pero la relaciones entre el pistolero interpretado por Quinn y el pistolero interpretado por Fonda indujeron a algunos críticos a destacar cierto aire de homosexualidad encubierta en los personajes, especialmente por la actitud celosa abiertamente mostrada por el socio del protagonista en el momento en que éste se interesa por una de las mujeres de la localidad y comienza a cortejarla. Dicho sea de paso, *Warlock,* el título original de la película, era el nombre de la ciudad en la que ocurrían los hechos.

Dmytryk consiguió sacar adelante una de las muestras más interesantes del género western jugando a contracorriente de los mitos fundacionales del mismo, e introduciendo elementos que abrían otras posibilidades a la hora de juzgar a los héroes y los villanos tradicionales. Anthony Quinn compuso un personaje que gozaba del aire entrañable que siempre caracterizó todas las propuestas interpretativas del actor, fuera cual fuera el carácter de los tipos que interpretaba, pero al mismo tiempo integró en el tradicional personaje del compañero secundario del héroe (en la primera parte de la película), o de la sombra o villano secundario (en la segunda parte), una riqueza de contenidos que iba más allá de lo sugerido por las imágenes que ofrecía el filme. Basta comparar el modo de encarar la interpretación de este pistolero, que no desea sino alejarse de la civilización que representa la ciudad donde le han contratado para seguir sus aventuras sin ataduras y en otro sitio, con el papel del pintor Gauguin en *El loco del pelo rojo.* Si en aquélla Quinn interpretó a la parte fuerte de la amistad entre los dos hombres, aquí fue directamente la otra cara de la moneda, en una recreación que quizá no por casualidad se acerca tanto al Van Gogh encarnado por Kirk Douglas en la película de Vincente Minnelli, que ya hemos comentado anteriormente. Muchas de las cualidades de su interpretación se han pasado por alto en el torbellino de tiroteos, secuencias de acción y enfrentamiento de Fonda y Widmark, pero lo cierto es que la intepretación que hizo Quinn de cómo darle la vuelta a un estereotipo del cine de género, si bien resultaba un tanto histriónica en algunos momentos, es una de las propuestas más sugestivas y para estudiar más detenidamente entre las que componen su trayectoria cinematográfica.

Las existencias rebeldes, con un claro código ético propio que no tiene por qué ser coincidente con el del resto de la sociedad, constituyen la constante más clara de la filmografía de Nicholas Ray, un director que incluyó a Anthony Quinn en una de las más curiosas peripecias de su carrera, titulada *The savage innocents (Los dientes del diablo),* que rodó en 1959.

La película era la adaptación de la novela *Top of the world (En la cima del mundo),* escrita por Hans Ruesh, y se financió en régimen de coproducción entre Inglaterra, Francia e Italia. Se rodó en 70 milímetros, aplicando el sistema Technirama, un proceso cinematográfico en *widescreen* desarrollado por la Technicolor Motion Picture Corporation que es una película de 35 milímetros moviéndose horizontalmente a través del objetivo mientras expone un fotograma de ocho perforaciones detrás de un sistema óptico que comprime la imagen. De este modo, permite que la película pueda ser proyectada a través de lentes de CinemaScope, e incrementando el tamaño del fotograma en el negativo se logra una imagen de gran claridad y definición.

La historia de *Los dientes del diablo* se centra en una pareja de esquimales interpretada por Anthony Quinn y Yoko Tani, que luchan por sobrevivir según las tradiciones de su etnia en las heladas tierras del norte de Canadá. Sus arriesgadas pero pacíficas existencias se ven turbadas a consecuencia del contacto con el hombre blanco, que llega hasta ellos para imponerles su ley ajena, y estará representado en un policía interpretado por Peter O'Toole, a quien por cierto los productores decidieron doblarle, privándole de uno de los instrumentos más caros a cualquier actor: la voz.

A pesar de su bella fotografía y lo espectacular de sus imágenes, el hecho de que los esquimales mantengan su propia lengua en la película distanció al público de esta insólita aventura, arrojando unos muy modestos resultados en taquilla.

Una nueva historia ambientada en el Oeste y un viejo compañero de reparto esperaban a Quinn a su regreso a los Estados Unidos. Titulada alternativamente *One angry day,* pero conocida como *The last train from Gunn Hill (El último tren de Gunn Hill),* fue dirigida en 1959 por John Sturges y protagonizada por Kirk Douglas.

El argumento se inicia con la violación y asesinato de la esposa del sheriff Matt Morgan (Douglas), una mujer india cuya muerte llevará a su marido tras las huellas del asesino, con la intención no tanto de vengarse como de capturarle y llevarle ante la justicia para que responda por el crimen que ha cometido. Sin embargo, tal misión se complica cuando Morgan encuentra finalmente al asesino y descubre que es el alocado hijo de un viejo amigo, Craig Belden (Quinn), reconvertido en poderoso terrateniente de la ciudad de Gunn Hill. Belden dice entender el dolor de su amigo, pero no está dispuesto a dejar que se lleve a su hijo de la ciudad para que sea juzgado. Tal postura enfrentará a los dos hombres, dejando a Morgan solo frente a todos los sicarios que Belden recluta, aislando al sheriff y a su prisionero en la habitación de un hotel que tirotean con frecuencia intentando liberar al joven asesino.

La película facilitó a Quinn una nominación al Laurel de Oro en el año 1960, quedando el actor en la cuarta plaza de la clasificación para conseguir tal galardón.

El último tren de Gunn Hill es uno de los westerns más recordados de su director. Tal hecho es curioso, porque Sturges nunca aceptó esta película como un proyecto de su elección, sino como un encargo de estudio que dirigió con eficacia, pero sin grandes alardes de estilo... al menos en su opinión. En términos de estructura argumental, esta película ofrece muchos puntos de contacto con otra no menos destacada cinta del mismo director, *Bad day at Black Rock (Conspiración de silencio),* que protagonizaron Spencer Tracy, Robert Ryan, Lee Marvin y Ernest Borgnine, entre otros.

Si Douglas consiguió en esta película una oportunidad para reforzar la imagen de fuerza, intensidad y control que quería proyectar en ese momento al público en relación con su carrera, Quinn tuvo la oportunidad de crear un personaje humano, un villano capaz de fallar, sentir, equivocarse, dotado de una gran ambigüedad moral que era característica habitual, no sólo del western, sino de todo el cine producido en Estados Unidos en los años 50 y primeros años 60. De hecho, esa ambigüedad moral reflejaba los dos pasos siguientes en el género camino del western crepuscular representado por las películas de Sam Peckimpah y el «spaguetti western» a la italiana que arrancó con las películas de Sergio Leone interpretadas por Clint Eastwood y Lee Marvin.

La película fue producida por la Paramount en VistaVision, un sistema de *widescreen* desarrollado por la propia compañía en los años 50 como respuesta al CinemaScope desarrollado por la productora Fox, que permitía prescindir de las lentes anamórficas para la cámara y el proyector. La primera vez que se empleó este sistema fue en *White Christmas (Navidades blancas),* dirigida por Michael Curtiz en 1954, y posteriormente pasó a formar parte de muchas películas dirigidas por Alfred Hitchcock, como *Vertigo (Vértigo, de entre los muertos).*

La película había empezado a respirar como proyecto cinematográfico tras el rotundo éxito conseguido por *Duelo de titanes*, momento en el que Hal B. Wallis fichó a Douglas como elemento central de otro western de similares características técnicas y con el mismo realizador, Sturges. Entre otras necesidades para el rodaje, fue necesario construir una completa ciudad del Oeste, no sólo en los ya tradicionales decorados exteriores, sino en todos los decorados interiores, un prodigioso despliegue de esfuerzo humano y creativo que cobija a los personajes de la película otorgándole a la historia principal mayor crediblidad. Por otra parte, se contó también con el modelo de tren más viejo de todo Estados Unidos, una auténtica reliquia reclutada para facilitar que el espectador apoyara la película basándose en el realismo como carta esencial para apoyar el largometraje.

A esas alturas de su vida, Anthony Quinn había ganado algo de peso y su rostro empezaba a reflejar el paso del tiempo, componiendo una imagen que mezclaba dureza y humanidad en un difícil equilibrio. Tal característica fue explotada convenientemente por el actor en sus siguientes intervenciones ante las cámaras, aportando una nueva significación a sus personajes sin llegar a modificar su manera de interpretar. Quinn había dado así otro paso hacia adelante, y tendría a partir de ese momento aún más facilidad para comunicarse con los espectadores desde los personajes que empezó a interpretar, generando un renovado interés hacia su filmografía en todo el mundo.

Capítulo VIII

— Años 60: «Soy un río para mi pueblo» —

El cine que protagonizó en los años 60 le proporcionó a Anthony Quinn el estatus de estrella internacional merced a un puñado de títulos inolvidables, pero en esa década su carrera también se vio adornada con algunas películas totalmente prescindibles, y con proyectos aparentemente muy exóticos, pero que finalmente defraudaron, como *Heller in pink tigths (El pistolero de Cheyenne),* dirigida en el año 1960 por George Cukor. El director intentó hacer un western alternativo y no fue entendido por el público.

Cukor decidió adaptar la novela de Louis L'Amour, prolífico autor de fábulas ambientadas en el Oeste, para profundizar en el único elemento del mismo que le interesaba, la variante de introducir como argumento secundario una compañía de teatro que recorría la frontera. Aprovechando que la productora Paramount tenía un contrato con el productor italiano Carlo Ponti, marido de la actriz Sofía Loren, y que ella estaba de acuerdo con interpretar a la protagonista femenina de la película, el proyecto se puso en marcha emparejándola con el actor que le resultaba más familiar por haber interpretado ya con él dos películas: Quinn. Sin embargo, tal como recordó más tarde el guionista del filme, Walter Bernstein, que procedía del mundo del periodismo: «La preparación de *El pistolero de Cheyenne* fue realmente frenética. Hubo momentos en que el equipo técnico rodaba más deprisa de lo que yo escribía el guión y algunas mañanas me presenté en el plató con las páginas que iban a rodar ese mismo día.»

Esa precipitación se hizo notar en la película, que acabó siendo un rompecabezas en el que se mezclaba la novela de Louis L'Amour de la que había arrancado el proyecto, un viejo guión de una película de David Wark Griffith rodada en el cine mudo sobre una compañía de teatro en el salvaje Oeste y una biografía de la figura del teatro de aquella época, Joseph Jefferson, que sirvió como inspiración para la escena en la que los indios atacan la carreta. En esta ocasión el principal inconveniente que hubo de afrontar el actor no fue un enfrentamiento con su compañera de reparto, que demostró ser una profesional entregada y obediente, cosa lógica teniendo en cuenta que a medida que progresaba la película su papel iba adquiriendo mayor protagonismo, sino con el director, que en opinión del actor le estaba restando presencia a su personaje en la trama en beneficio del lucimiento de la italiana. Sus sospechas no eran totalmente infundadas. Aunque a Cukor le molestaba que le etiquetaran como «director de mujeres», lo cierto es que las féminas habían tenido siempre en su cine una importancia lindante e incluso superior a la de sus compañeros de reparto masculinos, y uno de los motivos por los que se afirma que Gable hizo todo lo posible para echar a Cukor del reparto de *Gone with the wind (Lo que el viento se llevó)*, para que fuera sustituido por Victor Fleming, fue que el actor consideraba que el papel de Rhett Butler estaba perdiendo fuerza en beneficio del de Scarlett O'Hara. Por otra parte, los propios responsables de Paramount consideraban que la película era una plataforma de promoción para Sofía Loren, así que a Quinn no le quedaba mucho más por hacer, salvo presionar al director para intentar preservar el espacio de su personaje en la trama. Y no olvidemos que el guión se escribía «estilo *Casablanca*», es decir, al mismo tiempo que se rodaba la película.

Para envenenar un poco más las relaciones entre Quinn y Cukor llegó a oídos del actor que él no había sido la primera elección del director para el papel. George Cukor propuso inicialmente a Roger Moore, un joven actor británico que con el tiempo había de alcanzar celebridad en la televisión interpretando a Simon Templar en la serie *El Santo*, y más tarde en el cine sustituyendo a Sean Connery en el papel del agente con «licencia para matar», James Bond, alias 007. Moore debería haber sido el intrépido empresario teatral decidido a conquistar el Oeste con sus montajes teatrales, pero finalmente el papel acabó en las manos de Quinn, que tenía un contrato con la Paramount y quedaba libre de trabajo en el momento en que había de empezar a rodarse el largometraje. Según el guionista de la película: «No todo fue culpa de Quinn. Escogerle para ese papel fue un terrible error.»

El hecho de no disponer a tiempo del guión para poder estudiarlo en su casa, ponía nervioso al ya veterano actor, que estaba acostumbrado a tomarse muy en serio sus trabajos ante las cámaras y no entendía aquella precipitación. Para empeorar las cosas, una vez que la película estuvo terminada, los responsables de la Paramount no quedaron satisfechos y obligaron a rodar nuevas escenas de acción para reforzar su aspecto de película del Oeste. Finalmente la crítica atacó la pelicula, y el público se mostró reticente a pasar por taquilla.

Verse envuelto en un rodaje complicado iba a ser la tónica más habitual en la vida profesional de Anthony Quinn a lo largo de toda la década, pero lo siguiente que hizo para la pantalla grande fue un melodrama más fácil de rodar con una de las reinas del género, Lana Turner. *Portrait in black (Retrato en negro)* fue dirigida en 1960 por Michael Gordon y se basaba en la obra teatral de Ivan Goff y Ben Roberts. Turner interpretaba a una mujer que se comporta como esposa fiel con su marido, interpretado por Lloyd Nolan, hasta que el carácter irascible y violento del mismo, junto con su enfermedad, la llevan hasta los brazos del médico que atiende al furibundo cónyuge. El papel de médico no era el más propicio para Anthony Quinn, pero las protagonistas femeninas del enredo criminal, Turner y Sandra Dee, que se convirtió en una de las estrellas juveniles de la década, eran elementos suficientes para proporcionarle al filme cierta solidez, incluso contando con que su protagonista masculino se sintiera como pez fuera del agua.

Para recuperarse de tal visita al melodrama, Anthony Quinn se enroló en el comando de guerreros aliados protagonista de *The guns of Navarone* (*Los cañones de Navarone*), adaptación de la novela del mismo título escrita por Alistair McLean, que dirigió Jack Lee Thompson en el año 1961. El argumento estaba protagonizado por uno comando enviado a destruir los gigantescos cañones situados por los nazis en la isla griega de Navarone, justo en un punto desde donde pueden controlar el paso de los convoyes aliados, hundiendo numerosos barcos de transporte de tropas. Dado que es imposible destruir las piezas de artillería mediante bombardeos aéreos, los aliados se ven obligados a montar una operación especial contando con la ayuda de la resistencia griega. El jefe del comando era Gregory Peck, su hombre de confianza y colaborador era Anthony Quinn, y les acompañaba un siniestro soldado inglés apodado «El carnicero de Barcelona», a consecuencia de su participación en la guerra civil española, papel interpretado por Stanley Baker, y un experto en demolición que encarnaba David Niven.

La película había sido concebida según una nueva manera de enfocar el cine bélico para la pantalla grande: el espectáculo ante todo. A *Los cañones de Navarone* le correspondió inaugurar la épica sobre la Segunda Guerra Mundial, que más tarde veríamos en otras producciones. Ésta es también una de las películas más recordadas en la filmografía de Anthony Quinn por parte de los aficionados al cine, y ha sido y sigue siendo imitada como modelo de película sobre arriesgadas operaciones secretas en territorio enemigo. De hecho ha influido en una película tan aparentemente lejana y ajena como *Star Wars (La guerra de las galaxias),* y ha retenido cierta resonancia mítica, a pesar de que muchos críticos consideran injusto tan longevo éxito, dada la monotonía de sus secuencias de acción y su excesiva duración, que está repleta de momentos faltos de ritmo narrativo. Es cierto que la trama incluye cierto desarrollo de conflicto entre los personajes y apunta alguna que otra reflexión sobre la compleja psicología de los mismos, como la ambigua reacción de afecto/odio que preside la alianza entre el líder del comando interpretado por Gregory Peck y su antiguo amigo, interpretado por Quinn, que acepta participar en la operación con el objetivo inicial de aprovechar la menor oportunidad para matarle y vengarse por una cuenta pendiente que les divide. Así, durante toda la operación, la sentencia de muerte queda suspendida sobre la cabeza del protagonista, a la espera de completar la misión que les enfrenta a los nazis, enemigos de ambos.

Este planteamiento argumental era interesante para Quinn porque le permitía ser al mismo tiempo héroe y villano, huyendo del estereotipo que caracterizaba al resto de los personajes de manera un tanto burda y superficial. Su papel tenía una doble función en el relato, que le daba ventaja y le prestaba fuerza sobre el resto de las estrellas implicadas en el proyecto, incluyendo a Anthony Quayle, el actor británico encargado de interpretar al oficial superior de la misión, quien paradójicamente había pasado parte de la Segunda Guerra Mundial haciendo algo muy parecido a lo que hacía en la ficción del filme: participar en operaciones de comando para entrenar a la guerrilla albanesa contra los nazis. El otro veterano de guerra incluido en el filme era David Niven, que para demostrarlo llevaba prendida en su boina una insignia de la Rifle Brigade, el regimiento en el que había combatido durante el conflicto.

Inicialmente el papel interpretado por Gregory Peck le fue ofrecido a William Holden, pero las exigencias económicas de éste, 750.000 dólares más un 10 por 100 sobre los beneficios que la película generara en la taquilla, acabó apartándole del proyecto. Holden podía forzar la apuesta gracias al éxito que había conseguido protagonizando *The bridge over the River Kwai (El puente sobre el río Kwai),* pero los estudios no siempre aceptaban su nueva cotización como estrella. La otra modificación destacada en los planes iniciales para la película fue el cambio del director, Alexander Mackendrick por J. Lee Thompson. El productor de la película devaluó la posible calidad de la misma en manos de Mackendrick, despidiéndole porque no estaba de acuerdo con su forma de entender el filme.

Tal como le había ocurrido en *El pistolero de Cheyenne*, Quinn tuvo que aceptar los frecuentes cambios que se iban operando en el guión del largometraje, que también desconcertaron a Gregory Peck, hasta el punto de llevar al serio y elegante actor a gastarle una broma al director, escribiendo su propio resumen del argumento, que rezaba así: «En realidad David Niven ama a Anthony Quayle, y

Gregory Peck está enamorado de Anthony Quinn, pero Anthony Quayle se rompe una pierna y tienen que llevarle al hospital. Luego Tony Quinn se enamora de Irene Papas, y Gregory Peck y David Niven se enamoran y viven juntos y felices el resto de sus días.»

La otra broma que circuló por el reparto aludía a una de las localizaciones principales de la filmación, que todo el mundo empezó a denominar «Bahía de Anthony Quinn» después de que el actor dijera a sus colegas que había comprado una propiedad en los alrededores.

Frente al protagonismo colectivo que hubo de asumir en esta hazaña bélica salpicada también por el género de aventuras, Quinn afrontó dos papeles protagonistas que echaron sobre sus espaldas todo el peso de los dos siguientes largometrajes de su filmografía.

En *Barabbas (Barrabás)*, dirigida por Richard Fleisher en 1962, interpretó al criminal liberado por el gobernador romano Pilatos en el lugar de Cristo. Producción italiana adornada con la presencia de actores de distinta procedencia, como Silvana Mangano, Harry Andrews, Arthur Kennedy, Katy Jurado, Jack Palance, Vittorio Gassman, Ernest Borgnine o Valentina Cortese, la película contó también entre sus estrellas con un fenómeno atmosférico: el eclipse que vemos en la escena de la cruxificción es auténtico. El director retrasó incluso la producción para poder incluir ese «efecto natural» en la película, en lugar de emplear los tradicionales efectos especiales, con el fin de que aportara un aire de momento sobrenatural a la muerte de Cristo.

La película adaptaba la novela del Premio Nobel de Literatura Pär Lagerkvist, publicada en el año 1950 y llevada al cine por primera vez en 1952 en Suecia, con dirección de Alf Sjöberg. Frente al simbolismo y la austeridad de la novela y de esta primera versión cinematográfica, el productor italiano Dino De Laurentiis optó por desplegar un espectáculo épico en consonancia con los grandes títulos épicos del momento, ya que no en vano *Ben-Hur,* rodada en el año 1959, había conseguido convertirse en un rotundo éxito de taquilla, estableciendo un nuevo récord en lo que a conseguir un Oscar de Hollywood se refería: once estatuillas nada menos.

Ciertamente, De Laurentiis consiguió lo que se proponía, incluyendo en la película momentos memorables en las minas donde acaba trabajando como esclavo el Barrabás interpretado por Anthony Quinn, y los combates de gladiadores que cierran la trama, ciertamente más brutales que los que se habían mostrado hasta ese momento en las producciones italianas del «peplum» y en el cine norteamericano «de romanos».

Sin embargo, no cabe duda que lo más espectacular de la película eran su actores, especialmente por lo que se refiere a Quinn, Mangano, Gassman y Palance. Verdaderos puntales sobre los que se edificaba esta fábula épica sobre el complejo de culpa y la búsqueda de redención, los integrantes del reparto. Anthony Quinn encontró un papel a su medida, un héroe del pueblo llano, que al principio de la trama se muestra cubierto de defectos, un pobre hombre no demasiado inteligente, incapaz del significado del don que ha recibido: una larga vida en lugar de la vida de Cristo. También un hombre capaz de atravesar todas las condiciones sociales, de ser un héroe en el circo romano, para acabar finalmente encontrando la redención en la cruz de la que debería haber colgado cuando fue utilizado como excusa para crucificar al Hijo de Dios.

Las épicas escenas finales, con un Anthony Quinn convenientemente envejecido para reflejar sus últimas hazañas en el circo romano, son una de las imágenes claves para ilustrar como ejemplo la breve glosa que hacíamos en la introducción sobre la importancia de este actor como representante del pueblo en el universo casi inalcanzable de las estrellas hollywoodenses. Enfrentado a su destino, con algunos kilos de más y la vejez manifestándose en su rostro y en sus movimientos, el gladiador Barrabás es un anzuelo perfecto para que los espectadores normales y corrientes se sientan incluidos finalmente en el espectacular cine de romanos. Nada más opuesto que esa imagen a los tradicionales cuerpos musculosos propuestos como gancho para los héroes del «peplum» italiano, o las exhibiciones de pectorales de gentes como Charlton Heston o Kirk Douglas en *Ben-Hur* y *Espartaco.* Junto a ellos, Quinn era el hombre corriente convertido en héroe a la fuerza en un mundo que, ante todo, le produce dudas, incomprensión y miedo. Sus ojos de hombre casi totalmente derrotado, esperando con resignación y al mismo tiempo con un valor suicida la embestida final y presumiblemente mortal del gladiador interpretado por Jack Palance, son un buen ejemplo de por qué nos resultaba tan fácil identificarnos con Quinn cuando aparecía en la pantalla.

Federico Fellini fue el director elegido inicialmente por De Laurentiis para hacerse cargo de este largometraje, que en manos de Richard Fleisher adquirió un tono más comercial.

Anthony Quinn saltó del circo de gladiadores romanos al cuadrilátero que preside el moderno espectáculo de gladiadores urbano denominado boxeo en *Requiem for a heavyweight (Réquiem por un peso pesado)*, película dirigida por Ralph Nelson en el mismo año que *Barrabás* y basada en una obra de teatro escrita para la televisión por el mismo guionista de la película, Rod Serling.

El argumento aborda el ocaso de un campeón de boxeo. Tras perder un combate por K. O. en el séptimo asalto contra el mítico Cassius Clay, Mountain Rivera, papel interpretado por Anthony Quinn, ha de enfrentarse al final de su carrera en el cuadrilátero, pero no está dispuesto a que puedan arrancarle su dignidad. Era el papel perfecto en el momento más idóneo para el actor, que no sólo pudo volcar en el torturado personaje todos los conocimientos y experiencias que había ganado boxeando en su juventud, poco antes de iniciar su carrera cinematográfica, sino que además pudo poner de manifiesto la extraordinaria madurez como actor que había alcanzado. El resultado fue una de las mejores películas de boxeo de la historia del cine, y también una de las más honestas, ya que huye de todos los estereotipos, buscando una autenticidad de la que carecen muchas de las aproximaciones a este deporte intentadas por el cine con desigual fortuna. El aire de melodrama oscuro y deprimente que rodea a la vida de este boxeador acabado contrasta con su capacidad para mantenerse en pie y resistir con orgullo todos los intentos de la fauna que le rodea para destruirle totalmente. Quinn le dio un significado muy claro a la dignidad en el papel del antihéroe en esta producción que lamentablemente resulta difícil recuperar en nuestros días.

El siguiente trabajo del actor fue una de las mejores películas de todos los tiempos, cargada con resonancias míticas para los cinéfilos de todo el mundo y convertida en plataforma de lanzamiento para su actor protagonista: *Lawrence of Araby (Lawrence de Arabia),* dirigida por David Lean en 1962, le proporcionó a Anthony Quinn la oportunidad de encarnar a uno de sus más carismáticos personajes, Auda Abu Tayi, jefe de una tribu de beduinos del desierto que se define a sí mismo afirmando: «Soy un río para mi pueblo.»

La película era una versión muy libre de los escritos del teniente del ejército británico T. E. Lawerence sobre la rebelión contra los turcos de la tribus árabes que ayudó a organizar y lideró en el marco de las operaciones militares aliadas vinculadas a la Primera Guerra Mundial.

La vida de Lawrence había suscitado el interés del cine desde el año 1926, cuando el director Rex Ingram le propuso al propio protagonista la adaptación de sus memorias al cine, hasta 1934, fecha en la que el productor Alexander Korda quiso llevarla a la pantalla con Lewis Milestone como director y Leslie Howard como protagonista, pero ciertos elementos de la historia, como la ambigüedad sexual del personaje a retratar, acabaron por echar a pique ese primer proyecto sobre el héroe de la rebelión en el desierto. Tres años más tarde, y dos después de la muerte de Lawrence en un accidente con su motocicleta, el cine reiteró su interés en retratar al personaje, empleando para ello como protagonista a actores tan dispares como Robert Donat, Laurence Olivier, Cary Grant o nuevamente Leslie Howard. El estallido de la Segunda Guerra Mundial impidió que tal proyecto pudiera salir adelante. La idea no volvió a plantearse hasta los años 50, momento en el que el productor Anatole De Grunwald intentó poner en pie una versión de la vida de T. E. Lawrence con Denholm Elliott, posteriormente conocido por su trabajo como jefe de Indiana Jones, en el papel principal. Richard Burton, Alec Guinness y Dirk Bogarde también fueron citados como protagonistas de dicho largometraje, que habría dirigido Anthony Asquith, pero finalmente se quedó en el limbo de las películas nunca realizadas tal como había ocurrido con los intentos precedentes. Se pensaba rodar en Bagdad, Irak, en 1958 y con medio millón de libras de presupuesto. El productor consideró que tal intento entrañaba demasiados riesgos y decidió abortar el proyecto.

Al final fue el productor Sam Spiegel quien sacó adelante el largometraje sobre la vida de Lawrence, contando primero con Marlon Brando como posible protagonista, lo que suscitó un duro enfrentamiento con el actor Dirk Bogarde, que se consideraba más cualificado para interpretar el papel. Lo que ocurría en realidad es que Brando estaba de moda en aquel momento y Spiegel quería jugar sobre seguro en un proyecto suficientemente complejo y caro como para justificar que el productor intentara tener el mayor número de cartas posibles a su favor a la hora de poner en marcha el rodaje. Descartado Brando, que estaba ocupado rodando *Mutiny on the Bounty (Rebelión a bordo)*, el siguiente candidato fue Anthony Perkins, célebre desde 1960 por su papel en *Psysho (Psicosis)*, de Alfred Hitchcock. Más tarde, con la incorporación al proyecto de David Lean, empezó a sonar el nombre de Albert Finney, pero los rumores afirman que fue finalmente Katharine Hepburn la que sugirió a Sam Spiegel que probara a alguien casi desconocido para el papel principal, citando a Peter O'Toole como el mejor candidato. El actor consiguió saltar a la fama por ese personaje, y desde entonces pudo enfocar su carrera como astro internacional del cine. Curiosamente, el actor hubo de recuperar su papel en fecha tan tardía como el año 1989, para prestar su voz a unas escenas suprimidas del montaje original cuyo sonido original se había perdido con el paso de los años. La nueva versión, con escenas añadidas, le daba mayor protagonismo al desierto, según afirmó el realizador. De hecho el desierto y la idea del viaje, expresada según Lean por los desplazamientos de la cámara, realizados siempre de izquierda a derecha, eran los temas centrales del argumento.

El presupuesto de la película se estableció en doce millones de dólares, que recuperó con relativa facilidad, recaudando en su primer paso por los cines americanos veinte millones de dólares, ganando además los Oscar a la mejor película, dirección artística, fotografía en color, director, montaje, banda sonora y sonido, y siendo nominada también en las categorías de mejor actor principal (O'Toole), actor secundario (Omar Shariff) y guión adaptado (de Robert Bolt).

A pesar del largo recorrido de las aventuras de Lawrence y del amplio reparto convocado para interpretar a los principales personajes históricos envueltos en la trama, Anthony Quinn consiguió abrirse paso entre las estrellas que le rodeaban, dejando la marca de su presencia y erigiéndose en uno de los actores principales de la trama junto al propio O'Toole, Alec Guinness y Omar Shariff. Aunque no fue recompensado con ninguna nominación al Oscar en esta ocasión, la película realzó la proyección internacional del actor, instituyéndole oficialmente como estrella a los dos lados del océano Atlántico, y abriendo el abanico de sus ofertas de trabajo, no sólo en Hollywood, sino también en el cine europeo.

Tras años de trabajo muy duro lidiando con personajes perdidos en producciones que la mayor parte de las veces estaban por debajo de sus ambiciones y posibilidades, Quinn había alcanzado una categoría de actor de prestigio y figura cinematográfica a partes iguales, sirviendo así tanto a los propósitos de personajes difíciles como al oportunismo comercial de proyectos menos ambiciosos psicológicamente, pero sin duda más rentables en las taquillas.

Puede decirse que el papel de Auda, que encarnó en Lawrence de Arabia, certificó el estrellato que Anthony Quinn había ido construyendo durante años, lo que ejerció una poderosa influencia en su carrera, convirtiéndole en un punto de referencia obligado a la hora de valorar la pluralidad racial que, obligada por las circunstancias y los cambios sociales que se estaban operando en los Estados Unidos, estaba abriéndose paso en el cine fabricado por un Hollywood sometido a la crisis y la metamorfosis. En ese paisaje, la veteranía de Quinn, cuya carrera abarcaba ya tres décadas en los años 60, fue un poderoso aliado para garantizarle una longeva actividad profesional que se prolongó hasta el final de sus días.

España, país donde se filmó buena parte de las escenas de *Lawrence de Arabia,* fue el siguiente paisaje visitado por Quinn mediante *Behold a pale horse (Y llegó el día de la venganza),* dirigida en 1964 por Fred Zinnemann, adaptando la novela *Killing a mouse on sunday,* de J. P. Miller, guionizada para el cine por Emeric Pressburger.

Protagonizada por Gregory Peck, Omar Shariff, Quinn y Raymond Pellegrin, la película contaba la historia de un antiguo guerrillero enfrentado al Gobierno del general Francisco Franco en España, que, veinte años después de haberse exiliado en Francia, es convencido para regresar a territorio español con el fin de cobrar venganza en la persona de un brutal jefe de policía. La película se quedó a medio camino entre el cine de acción y un paso en falso trascendentalista y pretencioso que aspiraba a reflexionar sobre la lealtad, el honor, el destino, la moralidad y la muerte. Demasiados temas y demasiado profundos para compaginar con lo que debería haber sido únicamente un entretenimiento de corte épico.

A continuación, ese mismo año, Quinn interpretó *The visit (La visita del rencor),* película en la que él mismo participó como productor incorporando a su compañía, PECF, a la asociación formada por una compañía alemana, otra italiana y otra francesa, cuyo objetivo era sacar adelante esta coproducción en torno a un millonario que ofrece una fortuna para su ciudad natal en el caso de que alguno de sus habitantes se ofrezca como voluntario para asesinar a una de sus antiguas amantes. Basada en la obra de Fredric Durrenmatt, fue dirigida por Benhard Wicki y, junto a Quinn, la protagonizó Ingrid Bergman. Los dos actores se entregaron a un juego de interpretación excesivamente teatral acorde con el guión elaborado para el filme por Ben Barzman, y de ese modo se perdió la oportunidad de aprovechar el realismo desplegado en sus decorados y ambientes.

Alexis Zorba (Zorba, el griego/Zorba the greek) fue una nueva oportunidad de Queen para desmelenarse como actor en uno de esos personajes que le eran tan caros de interpretar por las enormes posibilidades interpretativas que se abrían ante sus ojos. Dirigida en 1964 por Michael Cacoyannis, adaptaba una novela de Nikos Kazantzakis, autor que años más tarde había de protagonizar una curiosa polémica religiosa por la oposición de la Iglesia católica a su versión de la vida de Cristo, vertida en la novela *La última tentación de Cristo,* adaptada al cine con Martin Scorsese como director y Willem Dafoe como actor.

Zorba, el griego, película en la que Anthony Quinn participó también como productor, contaba las peripecias de un joven escritor inglés, papel interpretado por Alan Bates, que viaja a Grecia, donde entra en contacto con Zorba, personaje al que dio vida Quinn. El carácter vitalista y las costumbres primitivas del griego acaban por influenciar al joven británico, modificando su vida. Si hay un personaje que defina a la perfección la imagen cinematográfica de Anthony Quinn a lo largo de todas sus películas, es sin duda el que interpretó en este largometraje que le llevó a conseguir una nueva nominación al Oscar como mejor actor. La estatuilla le fue arrebatada por Rex Harrison merced a su trabajo en el musical *My fair lady*, y junto con Quinn fueron derrotados ese año Richard Burton y Peter O'Toole por *Becket*, y el genial Peter Sellers por los distintos papeles que interpretaba en *Dr. Strangelove (Teléfono rojo: ¿volamos hacia Moscú?)*.

Sin embargo, la película consiguió el premio a la mejor actriz secundaria, Lila Kedrova, así como las estatuillas de la Academia de Hollywood concedidas a la mejor fotografía en blanco y negro y a la mejor decoración en blanco y negro, que, junto con las nominaciones a la mejor película y al mejor director, no era sino una manera de compensar la gran calidad de su propuesta cinematográfica.

La película, que se hizo famosa por la música de Mikis Teodorakis, pecaba quizá de una duración excesiva, 142 minutos, a pesar de lo cual la composición del personaje de Zorba llevada a cabo por Quinn garantizó el interés del espectador por una trama sin trama, esto es, por un argumento que no llegaba a revelar su verdadero contenido durante buena parte de su metraje y que en cierto modo jugaba a contracorriente en lo que a narrativa cinematográfica se refiere. No era en esencia una película concebida para el particular lucimiento de Anthony Quinn, pero se convirtió en un auténtico trampolín desde el que el actor multiplicó su popularidad y su sombra de leyenda sobre el paisaje hollywoodense. Nadie ponía ya en duda de manera alguna su talento como actor y su capacidad como estrella autosuficiente, más allá de los manejos de Hollywood.

Zorba facilitó además el retorno del actor a los escenarios de Broadway un cuarto de siglo después. En su anterior recorrido por el mundo del teatro en Nueva York había sustituido con éxito a Marlon Brando en las representaciones de *Un tranvía llamado Deseo.*

La primera película de Anthony Quinn en el año 1965 fue *A High wind in Jamaica (Viento en las velas),* producción británica dirigida por Alexander Mackendrick sobre una novela de Richard Hughes, en la que se narra el secuestro de un grupo de niños de la era victoriana a manos de unos piratas, y donde Quinn interpretó el papel del capitán Chávez, un pirata de peligrosos hábitos, acompañado en su tripulación por James Coburn. Quinn acercó el personaje de Chávez al del personaje adulto de la novela *La isla del tesoro,* adaptada en varias ocasiones al cine. Su villano es al mismo tiempo una figura paternal para los niños, a los que intenta iniciar en la piratería, hasta el punto de que en el desenlace de la trama se ofrece para pagar con la vida uno de los pocos asesinatos que no ha cometido él mismo, sino uno de los niños que ha secuestrado e influenciado. Una nueva sombra ambigua que añadir a la colección de villanos, sobre todo humanos, que se cuenta entre las mejores propuestas interpretativas del actor, trabajando desde seres híbridos a medio camino entre el bien y el mal. Lo peor de la película era su indefinición entre el humor y el cine de aventuras, sin llegar a decantarse claramente por ninguno de estos géneros.

Kublai Khan fue el siguiente viajero de la ambigüedad que eligió Anthony Quinn en *Marco, the magnificent (Las aventuras de Marco Polo),* posiblemente la coproducción más exótica y extraña en la que participó a lo largo de su vida. El director de la misma era tan mútiple y variado como las aportaciones en la inversión. Denis De La Pateliere, Noel Howard, Christian-Jacque y Cliff Lyons compartieron la realización de la película, lo que puede darnos una idea del caos en el que se vio implicado todo el equipo de rodaje para volver a contarnos, con pelos y señales, el sorprendente viaje de Marco Polo, el célebre viajero italiano que se abrió paso hasta China para abrir el comercio de Europa con el país de la gran muralla. Los países implicados de un modo u otro en el proyecto eran Yugoslavia, Egipto, Francia, Italia y Afganistán, cuya industria cinematográfica es actualmente prácticamente inexistente. La actitud de Quinn frente a este tipo de proyectos fue siempre la de valorar las propuestas que llegaban a su mesa según la calidad de sus personajes y situaciones, en lugar de dejarse enredar por el título y unas cuantas líneas de resumen del argumento. Empezaba a importarle menos el éxito que pudiera tener la obra que la oportunidad de interpretar personajes ricos que realmente le interesaran. Sólo así estaba dispuesto a continuar su carrera. Naturalmente, su estatus de estrella y el hecho de contar con su propia productora para una buena parte de las películas que interpretaba, le facilitaban conseguir sus objetivos e imponer su criterio respecto a lo que él podía interpretar o no podía interpretar.

Eran tiempos muy distintos de independencia del actor respecto a los que él mismo había vivido al principio de su carrera, cuando el sistema de Hollywood se encontraba en su apogeo, sin amenazas de competencia por parte de otras propuestas de entretenimiento y con suficiente poder como para modelar a su antojo el aspecto, la vida, la carrera y el mito de las estrellas que tenía contratadas cada estudio.

Ahora Quinn era muy libre de interpretar papeles que realmente le interesaran. Para demostrarlo eligió una manera de abordar la guerra de Vietnam en el cine sin tener que entrar de lleno en el conflicto, que había dividido a la opinión pública norteamericana con una virulencia y una radicalidad que ha sido recordada posteriormente con las manifestaciones contra la guerra en Irak que se fueron sucediendo. Hollywood no estaba interesado en pasar revista cinematográfica a una guerra que había implantado en la mente de los estadounidenses la posibilidad de ser rechazados y derrotados por un enemigo aparentemente más pequeño y peor equipado como Vietnam del Norte. La clave para poder hacer ese viaje se la dio un escritor, Jean Larteguy, especializado en recrear literariamente los conflictos bélicos vividos por Francia a lo largo de varios años en la trilogía compuesta por las novelas *Los centuriones, Los pretorianos* y *Los mercenarios*.

En *Lost command (Mando perdido)*, adaptación de la primera de las novelas citadas dirigida por Mark Robson en el año 1966, puso a Anthony Quinn en la piel del oficial de paracaidistas Raspeguy, un militar de los cuerpos especiales del ejército francés, de origen vasco, que, tras asistir al desastre de la guerra de Indochina y pasar una larga temporada internado en un campo de concentración junto con sus hombres, se ve metido de lleno en el conflicto francés con Argelia. Obedeciendo órdenes, se encuentra en el epicentro de una tarea de represión que acabará enfrentándole con uno de sus subordinados más antiguos, de ascendencia musulmana, papel interpretado por George Segal, y con uno de sus oficiales, interpretado por Alain Delon, que se enamora de una mujer musulmana de clase alta, encarnada por la espectacular Claudia Cardinale. Existía inicialmente la idea de prolongar la saga adaptando las otras dos novelas de la trilogía, pero los resultados comerciales del primer intento aconsejaron no reincidir.

El paisaje histórico más reciente era también el elegido para ambientar la trama de *La vingt cinquième heure (La hora 25)*, dirigida en 1967 por Henri Verneuil, adaptando la novela de Virgil Georghiu mediante una coproducción entre Francia, Italia y Yugoslavia. El argumento tenía como protagonista a un hombre sencillo que es deportado por los nazis a los campos de concentración junto con los judíos rumanos, sin pertenecer a esta etnia, simplemente porque un oficial del ejército alemán se encapricha de su esposa. Virna Lisi y Michael Redgrave acompañaron a Quinn, que encarnó al protagonista de esta peripatética aventura otorgando credibilidad a un personaje no muy creíble, porque se pasaba la película saltando de una situación simbólica a otra.

The happening (Sucedió en Mimi), dirigida en 1967 por Elliott Silverstein, le ofreció a Anthony Quinn la oportunidad de convertirse en una especie de icono generacional en una trama endeble, pero con un punto de partida interesante: un grupo de jóvenes secuestran a un veterano hombre de negocios y pronto descubren que la veteranía es un grado, esto es, que sabe más el diablo por viejo que por diablo. Obviamente, el hombre de negocios era Anthony y el líder de los jóvenes secuestradores era George Maharis. Ambos encabezaban un reparto que se constituyó en lo más interesante de esta comedia, con Faye Dunaway, Oscar Homolka, Robert Walker y Milton Berle en papeles más secundarios.

De regreso a Europa, el actor se hizo cargo del papel principal de otra producción italiana, *L'avventuriero (The Rover*, en territorio anglosajón), dirigida por Terence Young, tomando como base

Aventura, la novela de Joseph Conrad. Quinn podría haber interpretado una encarnación perfecta de los héroes de este autor, frecuentemente sumidos en una agónica ambigüedad existencial, pero ése no fue el caso de la película. Su trabajo en la misma está tocado por el mismo problema del resto de los ingredientes de este largometraje: la confusión. Sólo la música de Ennio Morricone se salvó de este pequeño desastre cinematográfico que no refleja la riqueza de la narrativa de Conrad en ninguna de sus imágenes.

En 1968 *La bataille de San Sebastian (Los cañones de San Sebastián)* puso a Quinn nuevamente a las órdenes del director galo Henry Verneuil, en una peripecia a medio camino entre el western y el cine de aventuras en la que le acompañaron Charles Bronson, Silvia Pinal y Anjanette Comer.

La película se basaba en la novela de William Barby Flaherty, y era una coproducción entre Francia, Italia y México, con filmación en territorio mexicano. Quinn era León Alastray, en parte héroe popular revolucionario, en parte un bandido que llevó a cabo un heroico acto de defensa del asediado pueblo de San Sebastián en el México del año 1746. Convencido por un sacerdote, León se deja arrastrar a la aventura de proteger el pueblo contra sus atacantes, contando con ayuda del ambiguo Teclo, interpretado por Charles Bronson, cuya lealtad y motivos para tomar parte en la empresa no están demasiado claros. Espectacular en sus escenas de acción, *Los cañones de San Sebastián* demostró ser una eficaz propuesta épica a pesar de la variopinta colección de nacionalidades implicadas en el proyecto, y de que Bronson hace sin duda una de las peores interpretaciones de toda su carrera en este filme, que en definitiva vino a demostrar el mayor interés de las productoras y los cineastas europeos por internarse en el recambio de héroes y ambientes frente al inmovilismo y la apatía demostrada por el cine norteamericano ante todo tipo de cambios y modificaciones de sus fórmulas clásicas. Dicho de otro modo, fue un interesante intento de ofrecer entretenimiento épico como alternativa a las superproducciones de Hollywood.

La galería de personajes encarnados por Anthony Quinn en la pantalla pronto se vio enriquecida con su incursión en el Vaticano para interpretar a un papa de ficción, cuyo mensaje era sin embargo altamente revolucionario y cristiano en un mundo sometido a la tortura ingente del enfrentamiento y la trágica y creciente diferencia económica entre el primer mundo y el tercer mundo. En la producción estadounidense *The shoes of the fisherman (Las sandalias del pescador)*, dirigida por Michael Anderson en el año 1968, Quinn era el sacerdote Kiril Lakota, quien después de pasar veinte años internado en un campo de trabajo de Siberia es puesto en libertad y comienza su camino hacia Roma, hacia el Vaticano, hasta convertirse en el primer papa ruso de la historia. El mundo que le recibe parece haberse vuelto loco. El hambre en China alcanza enormes proporciones, anticipando una intervención militar que no hará sino aumentar la tragedia, poniendo a todo el mundo al borde de la guerra y el caos. Desde su puesto como líder espiritual de ochocientos millones de católicos, Kiril adopta una drástica decisión para solucionar esa situación.

En el reparto de la película brillaban estrellas como Laurence Olivier, en el papel del premier ruso que atormenta a Kiril durante veinte años para tener posteriormente que agasajarle como Pontífice; el periodista interpretado por David Janssen, célebre protagonista de la serie *The fugitive (El fugitivo)*, quien representa en el relato el punto de vista del público; Oskar Werner, en el papel del más directo amigo y colaborador del protagonista; Leo McKern, encarnando al cardenal Leone, opuesto a entregar el papado a alguien que no sea italiano... Desgraciadamente, Michael Anderson no supo imprimirle un ritmo adecuado a esta adaptación de la novela de Morris West, que es además demasiado larga, 157 minutos, y se resiste a ahondar en las propuestas de la trama, limitándose a visitar sólo sus elementos más superficiales, resultando francamente aburrida en buena parte de su metraje. Tales condiciones malgastaron el esfuerzo de los actores por sacar adelante un filme que debería haber hecho un mejor uso de la elipsis, en lugar de dejarse arrastrar por la moda imperante en el cine norteamericano de la época, poniendo en pantalla una película de muy larga duración presentada equivocadamente como espectáculo épico.

The magus, dirigida en 1968 por Guy Green sobre una novela de John Fowles, que también se ocupó de escribir el guión, era una fábula fantástica en torno un profesor destinado a una isla griega que sin proponérselo se encuentra sometido a un juego mental con el mago del lugar, en el que también se encuentra implicada una guapa muchacha. Michael Caine, Anthony Quinn y Candice Bergen interpretaron los papeles principales de este filme rodado en tierras españolas. Anthony tuvo que raparse la cabeza para interpretar el personaje del mago que daba título a la película, pero no sin antes exigirle a la productora que suscribiera una póliza de seguro según la cual, en el caso de que el pelo no volviera a crecerle tal como lo tenía antes de raparse, sería indemnizado con una importante cantidad de dinero.

Lamentablemente, el esfuerzo de cambio de imagen no fue suficiente para paliar la mediocridad de la película, que recibió una colección de críticas ciertamente sangrantes en su contra, auténtica andanada de comentarios negativos en la que incluso participó Woody Allen, cuando afirmó en una de sus bromas: «Si volviera a vivir volvería a hacer todo lo que he hecho, excepto volver a ver *El mago.*» Lo cierto es que las críticas del momento no fueron del todo justas con la película. Las interpretaciones de Caine y Quinn eran logradas, así como la de la actriz Anna Karina, en el papel de una de las antiguas amantes del profesor interpretado por el primero. Sin embargo, es cierto de Candice Bergen facturó una de las peores interpretaciones de su carrera en esta producción.

En 1969, Anthony volvió a Europa para rodar *The secret of Santa Vittoria (El secreto de Santa Vittoria),* dirigida por Stanley Kramer como adaptación de la novela del mismo título escrita por Robert Crichton. El argumento se desarrollaba en la pequeña ciudad italiana que da título al filme, productora de un vino excepcional, durante la Segunda Guerra Mundial. Los habitantes del lugar, dirigidos por su alcalde, Bambolini, un papel que ya desde la novela parecía escrito expresamente a la medida de las cualidades de Anthony Quinn, deciden esconder un millón de botellas de su vino para que no caigan en manos de las tropas alemanas que se aproximan al pueblo. Desde ese momento, se pone en marcha una compleja operación de ocultación del vino, que se convierte en el epicentro de un drama teñido con toques de comedia en el cual Quinn pudo desplegar su vitalidad natural como mexicano, mezclándola con el encanto irlandés que le caracterizaba. Fue por otra parte el reencuentro del actor con la actriz italiana Anna Magnani, de la que no guardaba muy buen recuerdo desde los tiempos en que ambos coincidieron como protagonistas principales de *Viento salvaje*. Evidentemente, el Anthony Quinn de finales de los años 60 no era el mismo de finales de los 50. Toda una década había pasado sobre sus hombros y los de la Magnani, y las relaciones entre ambos fueron más civilizadas en esta nueva colaboración, si bien Magnani no se privó de intentar robarle planos y protagonismo a su compañero durante todo el rodaje, con la salvedad de que en esta segunda ocasión le resultó considerablemente más difícil, sino imposible, imponerse al veterano ante las cámaras en que se había convertido Anthony Quinn, quien además encontró un excepcional aliado en el papel de Bambolini, borracho de pueblo ascendido al puesto de alcalde en el peor momento posible para convertirse en héroe y líder de sus ciudadanos, un hombre sencillo que sin embargo lee y aplica los consejos de *El príncipe*, de Maquiavelo. Hardy Kruger, en el papel del capitán alemán Von Prum que ha de lidiar con los enredos de Bambolini, y Virna Lisi encarnando a la belleza de Santa Vittoria, Caterina Malatesta, completaron el reparto de esta producción inscrita en una curiosa variante de comedia épica.

A dream of kings (Sueño de reyes) era la adaptación de la novela homónima de Harry Mark Patrakis, dirigida por el televisivo Daniel Mann en 1969. Su argumento abordaba las tribulaciones de un poeta griego enfrentado a la muerte de su hijo. Irene Papas acompañó a Anthony Quinn en esta nueva encarnación de una minoría en los Estados Unidos, tema reiterado a lo largo de toda su trayectoria profesional, que le llevó a convertirse en una especie de adalid de las minorías raciales del imperio americano, buscando siempre en sus personajes la menor posibilidad de dignificación de los mismos a través de su interpretación, que así se convirtió en un arma integradora utilizando la humanidad por encima de las diferencias del lugar de procedencia, cultura, etnia o religión.

El romance para la mediana edad era el motivo central del argumento de *A walk in the spring rain (Secretos de una esposa)*, dirigida en 1969 por Guy Green sobre una novela de Rachel Maddox. Quinn interpretó otro personaje de hombre sencillo con el que la esposa de un profesor, interpretada por Ingrid Bergman, entabla una relación sentimental durante una etapa de descanso en las montañas. Pocas sorpresas podía ofrecer este planteamiento narrativo, y sólo las interpretaciones de sus protagonistas le proporcionaron algún interés, sin que Bergman y Quinn llegaran a desplegar una gran química en la pantalla. Más bien se trató de dos estrellas frente a frente, desplegando sus propias armas de seducción de la cámara relajadamente, sin competencia entre ambos, pero por separado.

Capítulo IX

— Años 70: La estrella venerable —

FLAP, película que en Inglaterra se tituló *The last warrior*, inauguró la filmografía de Anthony Quinn en los años 70 con otra historia de rebelión de las minorías contra la sociedad, en la que el actor interpretó el papel de un indio americano borracho en una moderna reserva que inicia una guerra de relaciones públicas, constituyéndose en líder de una marcha pacífica hacia la ciudad. El tono de comedia presidía esta farsa sobre la conciencia social, anticipando la tónica general de crítica al sistema que iba a presidir el cine norteamericano de los años 70 en todas sus variantes. No obstante, el desenlace trágico instrumentado para poner fin a la fábula resultaba un tanto desconcertante para el público, que no apoyó comercialmente en la taquilla este curioso pero a ratos aburrido filme dirigido por Carol Reed, coprotagonizado por Claude Akins y Shelley Winters, y basado en la novela de Claire Huffaker titulada *Nadie quiere a un indio borracho.*

El director y productor Stanley Kramer volvió a reclutar a Anthony Quinn para su largometraje *R.P.M. (R.P.M. Revoluciones por minuto)*, que dirigió en 1970. Una vez más el actor puso su talento al servicio de un personaje que representaba su forma de pensar, en esta ocasión un profesor que intenta infundir ideas a sus alumnos en un colegio norteamericano. En el reparto destacaba la presencia de la escultural Ann Margret, más recatada de lo habitual.

Sabedor de su poder de convocatoria como estrella internacional y de su valor como puente entre México, los Estados Unidos y Europa, apreciado como un icono del multiculturalismo antes de que dicho término ocupara el papel protagonista que ostenta, Anthony Quinn no tuvo inconveniente en ponerse al servicio de proyectos tan arriesgados como la película de Kramer, y dedicó el año 1973 a prestar su voz y/o su presencia a dos documentales y un cortometraje que le permitieron volver a ponerse en contacto con sus raíces mexicanas.

El primero de ellos fue *The voice of la Raza*, dirigido por William Greaves en el año 1972. Quinn ejerció como narrador de este recorrido por el mundo latino, que poco a poco empezaba a cobrar mayor protagonismo en el rompecabezas racial y social que integra la sociedada estadounidense.

A renglón seguido se puso al servicio de un cortometraje de producción mexicana titulado *El asesinato de Julio César.* El proyecto se rodó en Roma, Italia, en castellano, con Raúl Araíza como director e Irene Papas en el reparto. Su duración es de 30 minutos.

La tercera rareza en la filmografía de Quinn para el año 1972 (aunque había trabajado en ella desde el año 1960) fue un excelente documental de poco más de setenta minutos dirigido por Budd Boetticher: *Arruza.* Este filme es un homenaje a la fiesta de los toros por parte del realizador norteamericano, quien empezó a volcar su pasión por la tauromaquia y su acercamiento a México en el año 1951, dirigiendo un largometraje producido por John Wayne y montado con asistencia de John Ford para la empresa Republic: *The bullfighter and the lady (El torero y la dama).*

El propio Boetticher, que había contado con Quinn como protagonista de *Santos, el magnífico,* completó la que podríamos definir como su trilogía sobre el toreo con *Arruza,* que consideraba su película más personal. En realidad había iniciado el rodaje del documental cuando estaba terminando lo que algunos críticos definen como «western policíaco», *The life and times of Legs Diamond (La ley del hampa),* en 1960, pero distintos problemas económicos, profesionales y personales le impidieron terminar *Arruza* hasta ocho años más tarde, si bien es cierto que la película no se estrenó en circuitos muy limitados de los Estados Unidos hasta el año 1972.

Bajo el pretexto de glosar la figura de un torero amigo del director, Carlos Arruza, el documental sirvió a Boetticher para plantear una nueva reflexión sobre el hombre que se convierte en mito, y cómo la transformación le afecta a él mismo y a la realidad que le rodea. Para cuando el documental pudo finalmente estrenarse, su protagonista ya había fallecido. Arruza, auténtica estrella de los ruedos en México, perdió la vida en un accidente de automóvil en el año 1966.

Todos estos proyectos establecieron sin lugar a dudas la vinculación que Anthony Quinn deseaba mantener con sus raíces mexicanas, a pesar de haberse convertido en una estrella no sólo en el país vecino, sino también en Europa, desde donde volvieron a reclamarle para participar en una especie de «spaguetti-western» producido en Italia y titulado *Los amigos.* El argumento se ambientó en Texas, en el año 1830, poco después de su incorporación a los Estado Unidos, dejando de ser territorio mexicano, estableciéndose como una república de dudoso futuro. Titulada en Estados Unidos *Deaf Simth and Johnny Ears,* contó con una estrella de moda en el cine italiano de la época como coprotagonista, Franco Nero, y desde su indudable modestia, era una entretenida película del Oeste.

El cine de géneros ocupó la mayor parte de la filmografía de Anthony Quinn también durante los años 70, siendo los productos más destacados de esa época películas policíacas como la que interpretó a su regreso a los Estados Unidos, *Across 110th Street (Pánico en la calle 110),* dirigida por Barry Shear en 1972. Un año antes, William Friedkin había estrenado el que iba a convertirse en modelo del resto de las producciones policíacas puestas en marcha en el cine norteamericano en toda la década: *French Connection (French Connection, contra el imperio de la droga).* Premiada con varios Oscar, pero galardonada sobre todo con la aceptación del público que pasa por taquilla, esta película había actuado como revulsivo del género en lo que a sus normas tradicionales se refiere, proponiendo una nueva fórmula, más realista, para tratar a los personajes de policías y ladrones en una sociedad influenciada por las producciones televisivas y preocupada por los motines raciales, las luchas callejeras entre bandas, el tráfico de drogas y el crimen organizado. La película de Friedkin había marcado la pauta para filmes como *Pánico en la calle 110,* donde los policías interpretados por Anthony Quinn y Yaphet Kotto se mostraban como seres más humanos y falibles que sus predecesores en el cine de décadas anteriores, persiguiendo a unos delincuentes aficionados que roban a un grupo mafioso y parecen capaces de organizar una guerra de bandas criminales en la ciudad.

Se puede hablar de todo un ciclo urbano de cine policial «sucio», dedicado a reflejar con realismo los ambientes urbanos de los bajos fondos, con un prólogo de anticipo en la película de Don Siegel, *Madigan (Brigada homicida),* estrenada en el año 1968, un principio o arranque en *French Connection* y un final en otra película de Friedkin, *To live and die in L.A. (Vivir y morir en Los Ángeles),* última entrega de este ciclo de cine policial, estrenada en el año 1985. Frente a este tipo de cine dedicado a mostrar los aspectos más oscuros y menos gratos de la actividad policial, habría que situar las elegías conservadoras al policía blanco, puro e incorruptible que opone a los policías desencantados y humanos de películas como *Pánico en la calle 110, Bullit, The laughing policeman (San Francisco, ciudad desnuda)* o *Badge 363 (Tras la huella del delito)*; el reciclaje del tradicional héroe mítico del western en películas como toda la saga de Harry el Sucio protagonizada por Clint Eastwood, o los dos tardíos intentos de John Wayne en el género, *McQ* y *Brannigan.* Al parecer Wayne, a quien le habían ofrecido el papel de Harry Callahan antes que a Eastwood, se arrepintió de no haber aceptado el trabajo.

The Don is dead (El Don ha muerto), dirigida por Richard Fleischer en 1973, representa el otro gran filón explotado por el cine norteamericano de género policíaco en los años 70: las películas sobre la mafia. Nuevamente el ciclo tenía un prólogo, *The brotherhood (Mafia),* dirigida por Martin Ritt en 1969 con Kirk Douglas como productor y protagonista en el papel del mafioso Vince Ginetta, y un éxito de arranque, *The Godfather (El Padrino),* dirigida por Francis Coppola en 1971, había servido como incentivo para el nacimiento de todo un ciclo de filmes dedicados al mismo tema, entre los cuales, junto a *El Don ha muerto* y la segunda entrega de la película de Coppola, *The Godfather, part II (El Padrino, segunda parte),* habría que añadir *The Valachi papers (Los secretos de la Cosa Nostra),* con Charles Bronson como protagonista.

El rodaje de *El Don ha muerto* se inició tan sólo unos meses después del estreno de *El Padrino,* y su argumento evidenciaba el parentesco inmediato con la película de Coppola. Tras la muerte de Don Paolo, viejo jefe de la mafia neoyorquina, las familias del crimen organizado se reúnen con el fin de nombrar a su sucesor. Frank (Robert Forster), hijo de Paolo, es demasiado joven para asumir el relevo, y en el ínterin se designa a Don Angelo (Anthony Quinn) para que se asegure de que el proceso de transición se lleva a cabo sin violencia ni enfrentamientos. Pero el ambicioso Orlando (Charles Cioffi), lugarteniente de otra de las familias criminales cuyo líder permanece en la cárcel, pone en marcha un plan para convertirse en el verdadero Padrino de la ciudad, implicando a la amante de Frank en un enredo sentimental con Don Angelo, con el fin de que se establezca una guerra entre ambos, que finalmente se produce, bañando las calles en sangre.

Quinn permaneció en un ambiente criminal en su siguiente película, *The destructors (Contrato en Marsella),* dirigida en 1974 por Robert Parrish. Coproducción entre Francia e Inglaterra, la película contaba con Michael Caine en el papel de un asesino a sueldo de elite que recibe un encargo de un agente de narcóticos norteamericano establecido en París, interpretado por Anthony Quinn: asesinar a un traficante de drogas particularmente esquivo interpretado por James Mason. El reencuentro de Caine y Quinn, tras el desastre crítico y comercial de *El mago,* fue más afortunado comercial y cinematográficamente habiando. Más flexible en cuanto al seguimiento de las normas del género que sus equivalentes norteamericanas, esta producción respiraba un cierto aire de comedia negra sustentado principalmente en la contribución del papel interpretado por Caine, que hizo una curiosa pareja de colaboradores en el crimen con el personaje interpretado por Quinn, un hombre digno pero obligado por las circunstancias a aliarse con un asesino para liquidar a un oponente más peligroso. Mientras Caine jugaba el papel de dandi de la historia, frecuentando lujosos ambientes y paseando su elegancia por la pantalla, Quinn aparecía siempre en un entorno urbano de bajos fondos, parlamentando con confidentes, con el rostro de un policía desencantado y frustrado por su fracaso a la hora de capturar a su presa. La película ganaba mucho cuando Caine y Quinn aparecían juntos en la pantalla, mostrándose como la carta principal de la película, adornada con la fotografía de Douglas Slocombe.

Quinn continuó su trayectoria en Europa, viajando a Italia para protagonizar *L'eredità Ferramonti (La herencia Ferramonti),* dirigida por Mauro Bolognini en 1976 con Fabio Testi y Dominique Sanda como coprotagonistas. Se trataba de un drama sobre una familia italiana en 1880. Quinn interpretaba el papel del padre, Gregorio Ferramonti, que un buen día les anuncia a sus tres hijos el cierre del negocio familiar, al tiempo que les advierte que a partir de ese momento tendrán que valerse por sí mismos en lugar de seguir viviendo a su costa. A partir de ese momento, todos los hijos se ponen de acuerdo, liderados por la nuera del patriarca, para evitar que éste vuelva a contraer matrimonio, poniendo en peligro la que consideran es su herencia legítima como hijos del adinerado personaje. El papel de Irene, la nuera decidida a luchar contra los planes de Gregorio, fue interpretado por Dominique Sanda, que ganó el premio a la mejor actriz en el Festival de Cine de Cannes por esta película, y era uno de los principales atractivos de la misma.

El actor permaneció en Italia para participar en *Bluff, storia di truffe e di imbroglioni (Bluff, los embrollones),* dirigida por Sergio Corbucci en el año 1976, con Adriano Celentano, Capucine y Corinne Clery completando el reparto. Quinn y Celentano interpretaban a dos artistas de la trampa y el fraude en una comedia criminal sencilla e influenciada por el éxito de *The Sting (El golpe),* que dirigió George Roy Hill e interpretaron Paul Newman y Robert Redford en el año 1973.

En los años 70 eran muy frecuentes en el cine italiano las réplicas de las películas norteamericanas de mayor éxito con el fin de ganar taquilla en el mercado interno y buscar salidas seguras para sus productos en el mercado europeo. De ahí el interés por fichar estrellas de Hollywood como reclamo para estos largometrajes, que de ese modo incluso tenían opción a contar con un estreno en Estados Unidos, especialmente tras el éxito cosechado por los «spaguetti-western» de Sergio Leone en tierras americanas, que supusieron el lanzamiento de Clint Eastwood como nueva estrella en el cine estadounidense. Pero Anthony Quinn no se contentó sólo con haber sido pionero entre las estrellas de Hollywood que probaron suerte en tierras europeas. Ansioso por probar suerte en otras latitudes y siempre dispuesto a no dejar que su fama y su popularidad se convirtieran en elementos que le alejaran de la realidad y de su trabajo, se dejó reclutar incluso para algo tan exótico en aquel momento como una producción sudafricana rodada en inglés y en el idioma del lugar, el afrikaan.

La película se tituló *Target of an assassin*, pero se conoció en otros países con el título de *Los tigres no lloran, African rage, Fatal assassin, The Long Shot* o *Portrait of an assassin.* Peter Collinson se ocupó de dirigirla en el año 1976, con John Phillip Law y Simon Sabela como coprotagonistas, y hubo de tolerar las continuas interferencias durante el rodaje del Gobierno del país, sometido todavía al apartheid. El presidente del Gobierno, B. J. Vorster, había puesto en marcha una campaña para lanzar la industria cinematográfica del país a nivel internacional, y entre las producciones puestas en marcha siguiendo esos planes comerciales se encontraba esta historia basada en la novela *Running scared,* de John Burmeister, que narraba el secuestro de un líder africano a manos de un enfermero que pide un rescate por su víctima, lo que le lleva a enfrentarse no sólo con las autoridades, sino con un francotirador enviado a asesinar a secuestrado y secuestrador. Fue la producción sudafricana más cara de los años 70.

Prosiguiendo su viaje por ambientes y cinematografías exóticas, que pocas (por no decir ninguna) estrellas del cine norteamericano habían visitado o iban a visitar, Anthony Quinn se vio envuelto en un curioso proyecto en torno a Mahoma, titulado *The message (Mahoma, el mensajero de Dios),* dirigida por Moustapha Akkad en 1976. Se trataba de una coproducción entre Inglaterra, Líbano y Libia, que se anunció con la frase promocional: «La historia del islam». Efectivamente, se trataba de una glosa de la figura de Mahoma, que siguiendo las creencias religiosas musulmanas no aparecía en la película, a pesar de que fueron muchos los espectadores que pensaron en Anthony Quinn como el actor elegido para interpretar el papel del «mensajero de Dios» citado en el título del filme. En realidad sólo se escuchaba la voz de Mahoma, y Quinn interpretaba a uno de sus principales lugartenientes, su tío Hamza, acompañado en el reparto por Irene Papas y Michael Ansara. El célebre boxeador Muhammad Alí expresó su interés por interpretar el papel de Bilal en la película, pero el productor de la misma prefirió no contar con él para evitar que el filme pudiera aparecer ante los ojos de algunos creyentes musulmanes como una operación puramente comercial.

Para el cine libanés y para el cine libio sigue siendo la producción más cara de su historia, ciertamente espectacular en sus escenas de masas y batallas, desplegadas sin gran ayuda de los efectos especiales, pero beneficiadas de la colaboración de cientos de extras de ambos países, entusiasmados con la posibilidad de revivir los primeros tiempos del islam. El rodaje se interrumpió cuando los inversores interrumpieron sus aportaciones, dejando a los actores y el equipo técnico varados en las localizaciones de Marruecos durante dos semanas, habitando en un hotel sin aire acondicionado. Finalmente, la financiación de la película se completó con una inversión personal del líder libio Muammar al-Gaddafi.

La imagen digna del árabe Auda Abu Tayi, que interpretó en *Lawrence de Arabia*, convirtió a Quinn en actor de referencia obligada para este tipo de proyectos, llevando su influencia como estrella hasta los países islámicos con un solo competidor posible en el mundo de las estrellas explotadas por el cine occidental, el egipcio Omar Shariff.

Su contribución a *Mahoma, el mensajero de Dios,* película que resultó polémica en algunos países como Israel, es un buen ejemplo para poner de manifiesto su singularidad como estrella capaz de representar el multiculturalismo, utilizando Hollywood como trampolín para alcanzar la popularidad, a fin de poner inmediatamente esa popularidad al servicio de todos esos personajes aparentemente marginales que en las décadas de los años 50, 60 o 70 le tuvieron como único astro de referencia. Considerando la excepción de algunas pequeñas intervenciones de actores como Alec Guinness o Laurence Olivier en superproducciones como *Lawrence de Arabia* o *Kartum,* lo cierto es que los trabajos desempeñados por Anthony Quinn interpretando a latinos, griegos y musulmanes son indudablemente superiores, más creíbles, y capaces por tanto de dignificar a esos personajes y etnias. Quinn se convirtió así en la única estrella capaz de representar a las minorías en el cine de gran presupuesto, con el talante de una estrella, con la calidad interpretativa de un gran actor, y con la humildad, orgullo y dignidad de un hombre que se sabía fruto de la mezcla de diversas sangres e influencias raciales y culturales.

No es por tanto extraño que cuando se planteaban nombres de posibles estrellas para este tipo de proyectos, su nombre apareciera siempre en primer lugar como la opción más deseable.

Así ocurrió con *The greek tycoon (El griego de oro),* largometraje dirigido por John Lee Thompson en 1978, en el que el actor recuperó su contacto con la identidad griega para encarnar a Theo Tomassis, un multimillonario propietario de una naviera que se casa con la viuda de un presidente norteamericano, interpretada por Jacqueline Bisset. Obviamente, el argumento se inspiraba en la vida de Onassis y su relación sentimental con la viuda del presidente asesinado John Fitzgerald Kennedy, Jacqueline. Lo poco satisfactorio del resultado obtenido por este drama queda evidenciado por el hecho de que quienes han visto la película destacan sobre todo la belleza de sus escenarios y de su protagonista femenina, buena prueba de que el director no consiguió atrapar el interés de los espectadores con elementos de mayor entidad, como el diálogo o las interpretaciones, lastradas por el aire televisivo aplicado por buena parte del reparto a sus personajes. A consecuencia de ello, el filme presenta una cierta apariencia de telefilme.

Caravans (Caravanas), filmada en Irán en 1978, volvió a poner al actor en la piel de un árabe, en este caso con James Fargo como director y Michael Sarrazin, Christopher Lee, Jenniffer O'Neill y Joseph Cotten como compañeros de reparto. El argumento narraba la aventura iniciada por un joven diplomático norteamericano enviado en el año 1948 a Afganistán (el país no se cita en la película, pero sí en la novela en que se basa, escrita por James A. Michener) para hacer volver a los Estados Unidos a la hija de un político que ha contraído matrimonio con un árabe y se ha unido a una caravana de beduinos.

Los beduinos iraníes sirvieron como extras para integrar la tribu que dirige Zulffiqar, el personaje interpretado por Anthony Quinn, que vino a ser una especie de reedición del jeque Auda Abu Tayi de *Lawrence de Arabia.* Dada la falta de originalidad de la película y la absoluta incompetencia del director para proporcionarle a la aventura el imprescindible carácter épico, el mejor recuerdo que tienen los espectadores es la riqueza visual de los paisajes desérticos de Irán empleados como escenarios naturales para la película.

The children of Sánchez (Los hijos de Sánchez), dirigida por Hal Bartlett el mismo año en que se rodó *Caravanas,* era una adaptación de la novela homónima de Oscar Lewis en régimen de coproducción entre México y los Estados Unidos, y con los puestos principales del reparto ocupados por Quinn, Katy Jurado, Dolores del Río, Lupita Ferrer, Patricia Aspíllaga y Marta Barrientos. La música de jazz de Chuck Manggione se convirtió en un elemento promocional de primer orden para la película. Fue mal comprendida en los Estados Unidos, donde no recibieron con buen espíritu los subtítulos en los que se explicaba quiénes eran los personajes de este drama sobre un padre de familia mexicano habitando con su clan una cochambrosa vivienda en los arrabales de la ciudad. En realidad la película era más fácil de entender por el público mexicano que por el estadounidense.

El siguiente trabajo de Anthony Quinn era en cierto modo una variante de la historia que había interpretado en *Y llegó el día de la venganza.* En *The passage (El pasaje),* dirigida por John Lee Thompson en 1979, el actor interpretó a un campesino vasco contactado por la resistencia francesa durante la Segunda Guerra Mundial para conducir como guía a un científico buscado afanosamente por los alemanes, que pretende pasar junto con su familia al otro lado de los Pirineos para refugiarse en España. Era casi el mismo rol que le había tocado desempeñar en *Y llegó el día de la venganza*, acompañado esta vez por James Mason en el papel del científico y Malcolm McDowell en el papel del sádico oficial nazi que persigue al grupo de fugitivos a través de la geografía vasco-francesa.

Capítulo X

— El otoño del patriarca —

Una de esas paradojas que tiene el cine quiso trazar para Anthony Quinn un viaje profesional que en las dos últimas décadas de su vida como actor le llevó a completar un círculo, situándole nuevamente en el rol de actor secundario con el que había iniciado su periplo cinematográfico. Cierto es que éstos nuevos trabajos como actor de reparto en los años 80 y 90 tenían un carácter muy distinto a los que le tocó desempeñar cuando empezaba a trabajar en Hollywood. La diferencia estaba en su carácter como estrella, y por supuesto en el salario que percibía por sus apariciones ante las cámaras. El prestigio ganado durante años de duro trabajo, junto con la veteranía de sus muchas décadas ante las cámaras, acompañaban a Quinn como un excelente equipaje que le garantizaba el respeto de sus compañeros de equipo técnico y artístico. Las apariciones de Anthony Quinn en cada nueva película eran como un saludo lanzado por el actor en clave de triunfo del hombre sobre el tiempo.

Había empezado a trabajar en el cine poco tiempo después de que la pantalla encontrara su voz, había vivido la juventud admirando a los actores del cine mudo y, tras ejercer como protagonista en buena parte del Hollywood dorado, pudo llegar a conocer, como actor en activo, las últimas maravillas conseguidas por la técnica de los efectos especiales. Había visto nacer, crecer y desarrollarse a varias generaciones de directores y estrellas, y cuando muchos de sus compañeros del Hollywood clásico disfrutaban ya del retiro, sus obligaciones familiares, pero también, sobre todo, la pasión por la interpretación, los viajes, y el conocer nuevos países, le mantenía en la brecha profesional, cosechando todavía buenas críticas, y llevando el lujo y la elegancia de su presencia a numerosos productos que, no nos engañemos, en buena parte de los casos no se lo merecían. No lo hacía gratis, evidentemente cobraba por ello, era un trabajo, pero al repasar la lista de sus últimos veinte años en el cine, salta a la vista que buena parte de las producciones cinematográficas y televisivas para las que fue contratado estaban muy por debajo de sus posibilidades reales como actor, y en todo caso explotaban su nombre torpemente sin pararse a pensar que estaban desaprovechando a una leyenda viva del cine.

Tal cosa ocurrió sobre todo en el cine norteamericano, en algunas de las producciones cinematográficas de aquel país que le ficharon para adornar sus repartos con alguna nota de prestigio, pero también en Europa se enfrentó Quinn a una calidad inferior de la que tenía derecho a esperar por sus méritos profesionales y avalado por su brillante trayectoria como actor.

The lion of the desert (El león del desierto), dirigida por Moustapha Akkad, el responsable de *Mahoma, el mensajero de Dios,* en el año 1980, fue una de las últimas producciones que aprovechó coherentemente buena parte de los recursos que Anthony Quinn podía llegar a volcar en la creación de uno de sus personajes.

En esta coproducción entre Libia y los Estados Unidos, Akkad volvió a poner en marcha a las multitudes que podía ofrecerle el mundo musulmán para glosar a uno de sus héroes, Omar Mukhtar, papel interpretado por Anthony Quinn, cuya hazaña consistió en enfrentarse a los ejércitos italianos de Mussolini destacados en Libia, dirigidos por el general Rodolfo Graziani, encarnado por Oliver Reed. La película consiguió inversión suficiente como para completar el trío protagonista con la presencia de Rod Steiger en el papel de Benito Mussolini. Irene Papas volvió a ser la compañera de Quinn en el papel de Mabrouka.

La aventura bélica de Italia en Libia no tardó en revelarse como desastrosa, pero sirvió fielmente como argumento para esta propuesta de cine épico que presentaba algunas escenas ciertamente espectaculares, sin descuidar la debida atención a la interpretación como su base principal de calidad, ya que buena parte de los momentos interesantes del filme estaba expresada en las secuencias de diálogo entre los protagonistas reales de los sucesos históricos abordados en la pantalla. El papel de Omar Mukhtar fue uno de los últimos grandes personajes que el cine pudo ofrecerle a Anthony Quinn para que pudiera lucir la madurez y la sobriedad que había alcanzado con el paso del tiempo. Su papel como epicentro de los acontecimientos narrados por el filme era de una solidez envidiable para cualquier actor.

No tuvo muchas más oportunidades como aquélla en los proyectos que le ofrecieron a continuación. En 1981, una coproducción entre Italia, Inglaterra y Estados Unidos, titulada *La salamandra* y dirigida por Peter Ziner, reunió a una colección de celebridades cinematográficas para adornar lo que no era sino una floja intriga sobre un policía, Franco Nero, dedicado a investigar una serie de crímenes relacionados con varias personalidades de la política y las finanzas. Tal pretexto argumental permitía que se asomaran a la pantalla el propio Anthony Quinn, en el papel de un industrial; Claudia Cardinale, Sybil Danning, Eli Wallach, Christopher Lee, Martin Balsam y un largo etcétera. Puro reclamo publicitario sin demasiada base para una intriga política mal contada.

En ese mismo año 1981, las otras dos aportaciones de nuestro actor al denominado séptimo arte dejaban entrever el talante de encargo puramente alimenticio que iba a presidir el resto de su carrera cinematográfica en un cine en franco proceso de deterioro, en lo que a guiones y creación de personajes realmente interesantes se refiere.

High Risk (Alto riesgo), dirigida por Stewart Raffill, era una comedia criminal protagonizada por el blando e inoperante James Brolin, un actor más adecuado para las lides televisivas, que le harían célebre a través de su protagonismo en la serie *Hotel (Hotel)*, incluso antes de que su popularidad quedara vinculada al hecho de ser el marido de la cantante, directora, actriz y en general mujer-orquesta Barbra Streissand. La aparición de tres clásicos en el reparto, Anthony Quinn, James Coburn y Ernest Borgnine, no podía salvar lo que era poco más que un vehículo de acción fallido, escaso de presupuesto y similar a un episodio de serie de televisión. Algo similar puede afirmarse de *Crosscurrent,* una absurda trama de serie negra sobre un grupo de agentes norteamericanos dedicados a impedir una operación de sabotaje contra el Canal de Panamá, que dirigió con nulo acierto y mal criterio un tal S. C. Dacy. La película era tan mala que conoció una escasa distribución internacional.

Anthony Quinn tenía poco que hacer en este tipo de enredos, salvo presentarse puntualmente en el rodaje, dar una lección de profesionalidad y seriedad a sus colegas, y enhebrar con el siguiente trabajo de encargo que apareciera en su apretada agenda. Tenía afortunadamente la pintura para hacer el exorcismo de las escasas satisfacciones que le proporcionaba su actividad casi frenética, pero con frecuencia estéril, ante las cámaras.

Una de esas pocas satisfacciones fue el papel de Mosén Joaquín en *Valentina,* adaptación de la novela de Ramón J. Sender, *Crónica del alba*, dirigida en 1982 por Antonio José Betancor. Su personaje se relacionaba sobre todo con el niño Pepe, interpretado por Jorge Sanz, y con la niña que daba título a la película, interpretada por María Rubio (dicho sea de paso, actualmente ambos actores son pareja en la vida real y fueron padres de un niño en el año 2002). Ese trabajo con los actores infantiles le produjo una especie de rejuvenecimiento a Anthony Quinn, una recuperación de las fuerzas y el interés por crear un papel con suficiente carne al tiempo que se sometía al reto de lidiar con la infancia. Era también una oportunidad para rodar hablando en castellano, recordar la lengua de sus orígenes. Esta colaboración con el cine español se repitió, con resultados sensiblemente inferiores, seis años más tarde, en *Pasión de hombre*, dirigida por Jose Antonio de la Loma con Quinn en el papel de un pintor que intenta seguir disfrutando de la vida y de las mujeres a pesar de su avanzada edad. La pasión por la pintura del actor ayudó a convencerle para participar en este proyecto donde se vio rodeado por una colección de bellezas internacionales formada por Maud Adams, Victoria Abril, Shari Shattuk y Elizabeth Ashley. Ninguna de ellas pudo mejorar el resultado de este monótono drama de corte intimista y un tanto desorientado en su argumento.

Entre ambos largometrajes, Anthony Quinn se reunió con Ava Gardner, Anna Karina y Ray Sharkey para protagonizar uno de sus trabajos de mayor intensidad en la etapa crepuscular de su filmografía, *Regina Roma,* de 1982, producción franco-canadiense dirigida por Jean-Yves Prate, en la que cuatro personas arrastran a sus prójimos más inmediatos a una situación extremadamente dramática. Escrita por Pierre Rey, pero con un planteamiento propio de una de las densas tragedias de Tennessee Williams, la película se desarrollaba en un decorado sin los alardes de lujo tan habituales en dramas anteriores protagonizados por Quinn. En el cuarteto, sólo Ava Gardner desentonó con una cierta inclinación hacia la sobreactuación, que contrastó con el afinado trabajo de sus compañeros.

El fabricante de violines Antonio Stradivarius se añadió a la lista de personajes históricos encarnados por Anthony Quinn, quien protagonizó *Stradivari* en 1989 a las órdenes del italiano Giacomo Battiato. La película le ofreció al actor la oportunidad de recorrer la vida de su personaje acompañado por algunos de sus hijos. Francesco Quinn interpretó a Alessandro, Danny Quinn a Francesco, y Lorenzo Quinn al propio Stradivarius en su juventud. Tal reunión familiar, aderezada por la presencia en el reparto de las bellas Stefania Sandrelli y Valerie Kapriski, le dio un sentido muy especial a este rodaje y esta película entre los últimos trabajos en Anthony Quinn para el cine italiano, con el que había colaborado en tantas ocasiones.

El actor se mantenía sin embargo en una forma envidiable para su edad, como demostró interpretando al mafioso mexicano Tiburón Méndez en *Revenge*, una fábula criminal poco creíble protagonizada por el entonces taquillero Kevin Costner, que en la ficción de la película se ganaba primero el respeto del personaje interpretado por Quinn y posteriormente su sangrienta venganza al emparejarse con su joven esposa, Mireia, a la que dio vida Madeleine Stowe. Tony Scott, hermano del director de *Alien, Blade Runner* y *Gladiator,* puso en pantalla este híbrido entre el drama romántico, el cine de aventuras y el cine policíaco, con su habitual manía de convertir cada imagen en un videoclip publicitario, consiguiendo que un argumento a priori interesante se convirtiera en un anodino rompecabezas repleto de lugares comunes. De todo el conjunto, lo único que funcionaba correctamente era la capacidad de Anthony Quinn para meterse en el papel de un criminal simpático, afable, pero sin escrúpulos, y tremendamente brutal cuando decide vengarse de su esposa y de su traidor amigo.

El actor debió pensar que sólo le faltaba interpretar a un fantasma para completar su colección de personajes de ficción, y quizá por eso no dudó en meterse en algo tan dudoso como una película dirigida por John Derek con su esposa, la «chica diez» Bo Derek, titulada *Ghost cant' do it (Los fantasmas no pueden hacerlo).* Comedia más erótica que romántica filmada en el año 1991 y diseñada para que la esposa del director pudiera lucir sus encantos, no tenía tanta gracia como pretendían sus artífices, y merece sin duda un lugar de honor entre los peores filmes en la trayectoria profesional del protagonista de estas páginas.

También era una comedia, pero más divertida, *Only the lonely (Yo, tú y mamá),* dirigida por Chris Columbus con John Candy, Maureen O'Hara y Ally Sheedy como protagonistas de un enredo entre un policía tímido, su novia y la madre del primero. Quinn interpretaba un papel episódico con pocas jornadas de rodaje, pero debió ser una grata impresión para él volver a encontrarse con Maureen O'Hara, su vieja compañera de reparto en las películas de piratas de los años 40 y 50, a la que había conocido primero como actor secundario con poco papel, luego como segundo de a bordo en el reparto, y finalmente, en esta tercera colaboración, juntos tras un paréntesis de varias décadas, nuevamente como secundario (estrella).

Mayor interés despertó entre la crítica el largometraje de uno de los nuevos valores del cine norteamericano más comprometido socialmente, el afroamericano Spike Lee, que fichó a Anthony Quinn para interpretar un pequeño papel en una de sus más ácidas fábulas raciales y urbanas: *Jungle fever (Fiebre salvaje),* rodada como la anterior en 1991, y centrada en la relación interracial que mantiene un hombre negro felizmente casado con una chica italiana a la que ha conocido en su trabajo.

Las calles de Nueva York fueron también un elemento central en otra breve pero contundente colaboración de Anthony Quinn para *Mobsters (El imperio del mal),* en la que interpretó al veterano jefe Giuseppe «Joe the Boss» Masseria, personaje real del mundo del crimen organizado que ha de hacer frente a una nueva generación de jóvenes delincuentes que con el tiempo harán historia en la historia de la mafia en Estados Unidos: Charlie «Lucky» Luciano (Christian Slater), Meyer Lansky (Patrick Dempsey), Bugsy Siegel (Richard Grieco), Frank Costello (Costas Mandylor) y Tommy Reina (Christopher Penn). Violenta y a ratos espectacular acción de los primeros tiempos de estas figuras míticas del crimen organizado, fue un éxito comercial.

El largo recorrido de la nutrida filmografía de Antony Quinn le permitió intervenir incluso en una película donde empezó a explorarse la posibilidad de resucitar actores del pasado mediante la informática para que protagonizaran nuevas secuencias en el futuro. En *The last action hero (El último gran héroe),* una comedia mal entendida por el público que dirigió John McTiernan en 1991 para mayor lucimiento de la estrella del músculo Arnold Schwarzenegger, Anthony interpretó el papel de un mafioso, Tony Vivaldi, mostrándose junto con Charles Dance, quien interpretaba a uno de los sicarios del anterior, como el único elemento sobrio y creíble de un conjunto de situaciones demasiado absurdas y surrealistas como para que el espectador llegara a entrar en el juego que se le proponía. Lo más curioso de todo aquel extraño invento fueron los numerosos guiños incluidos en las escenas de la película, con apariciones de estrellas invitadas como Sharon Stone, Jean-Claude Van Damme... o Humphrey Bogart, quien, con la gabardina de *Casablanca,* aparecía brevemente como uno de los policías de la comisaría en la que trabaja Schwarzenegger. La informática había hecho posible recuperar unas escenas de la mítica película protagonizada por Bogart en los años 40 para incluirle en una nueva producción de los años 90. Finalmente, Quinn había compartido reparto con los actores artificiales generados por la informática.

Jim Kaufman le ofreció un papel más largo y un trabajo algo más coherente en *A star for two,* rodada en 1991, y en la que otros dos clásicos compartieron con Quinn la cabecera de reparto: Lauren

Bacall y Jean-Pierre Aumont. Drama intimista de producción franco-canadiense, se distribuyó con parquedad en el resto del mundo, convirtiéndose en una de esas producciones destinadas al mercado del vídeo en la mayor parte de los países del globo.

Drama fue también *Somebody to love (Alguien a quien amar)*, dirigida por Alexandre Rockwell en 1994, que contaba la historia de Mercedes, una bailarina que aspira a ser actriz, pero por el momento sólo tiene un enredo sentimental con un hombre casado. Protagonizada por Rosie Pérez y Harvey Keitel, la película era una muestra de lo que los norteamericanos consideran cine independiente, a pesar de que en realidad suele tratarse de producciones apoyadas en la sombra por filiales de los grandes estudios. No obstante, lo más interesante de este tipo de cine es su capacidad para reflejar aquellos aspectos de la vida en los Estados Unidos que aparentemente están proscritos en las producciones comerciales desarrolladas por las grandes productoras, lo que les lleva a desplegar un aire intimista más creíble que el frecuentado por las grandes estrellas, ocupándose más de desarrollar su historia y sus personajes, volcándose en la interpretación por encima de la acción. Por otra parte, este planteamiento alternativo ha permitido que numerosas estrellas latinas se hayan ido abriendo paso en las pantallas norteamericanas, reflejando la realidad de un país en el que la primera minoría racial es ya hispana, incluso por encima de la minoría negra, como demuestran las encuestas más recientes. De ese modo, se han encumbrado actores y actrices como Rosie Pérez, Jennifer López (que empezó como «chica de coro» de la anterior en la presentación de una serie de televisión), o la que más éxito ha tenido hasta el momento entre todas ellas, Salma Hayek. El fenómeno latino en el cine norteamericano tiene obviamente otros nombres, como los de Raúl Julia, Edward James Olmos, Andy García o Antonio Banderas, pero sigue siendo la excepción a la regla en lo que a paisaje de estrellas, recaudaciones y salarios se refiere, en comparación con sus equivalentes anglosajones. Dicho de otro modo, no es oro todo lo que reluce, y el optimismo por el ascenso de estos nombres en el escalafón de Hollywood necesita una matización que no puede ser objeto de estas páginas, sino como mera sugerencia para la reflexión sobre el verdadero impacto y poder de la influencia latina en Hollywood. Un ejemplo: en una de sus giras por España para presentar una de sus películas, Jennifer López exigía a la prensa que en las entrevistas se empleara el idioma inglés, en lugar del castellano. Tal exigencia puede cambiar si se trata de promocionar un disco, en cuyo caso la estrella suele estar dispuesta a hacer las entrevistas en castellano, o en «spanglish», esa aberración idiomática que emplean con frecuencia los norteamericanos de raíces españolas, mezclando palabras en inglés con palabras en castellano.

Todo lo anterior enlaza con la última película de aire latino interpretada por Anthony Quinn en el ocaso de su filmografía: *A walk in the clouds (Un paseo por las nubes),* dirigida en 1995 por Alfonso Arau con un reparto integrado principalmente por actores mexicanos, con la salvedad de los dos protagonistas, el norteamericano Keanu Reeves y la española Aitana Sánchez-Gijón (le ofrecieron el papel en primer lugar a Penélope Cruz, pero lo rechazó porque no deseaba mostrar su cuerpo desnudo en la pantalla). Anthony Quinn interpretó al patriarca de una familia dedicada al cultivo de las vides, en el que podríamos calificar como el último gran trabajo de su carrera. Su presencia ante las cámaras era la mejor expresión de un actor completo, empleando todos los recursos de su arte con una sencillez y una facilidad que ponía en evidencia el menor artificio empleado por sus compañeros de reparto. Don Pedro Aragón era un compendio de todos los personajes patriarcales que Anthony Quinn había interpretado a lo largo de su vida, una colección de resortes bien engrasados para reflejar la grandeza desde la sencillez, el orgullo desde la humildad, la complejidad psicológica desde la simplicidad de los gestos.

Pero el periplo de Anthony Quinn no terminó con esa producción. Continuaba abierto a las propuestas arriesgadas, permanecía profesionalmente activo, como demostró haciendo las maletas nuevamente para rodar la producción alemana *The seven servants,* rodada en 1996 por Daryush Shokof, o aparecer en *Il sindico,* que filmó también en ese año el italiano Ugo Fabrizio Giordani adaptando una obra de Eduardo De Filippo, en la que le dio a Quinn el papel del alcalde de la historia. Su último trabajo al margen del cine norteamericano se dio en la película brasileña *Oriundi,* rodada en 1999 por Ricardo Bravo. Brasil era un lugar que faltaba en su geografía laboral, y Anthony Quinn, hombre inquieto, aprovechó la ocasión para incluir el lugar en el mapa de su odisea profesional, interpretando nuevamente a un patriarca de origen italiano que intenta dejar las cosas en claro con sus hijos antes de morir. Nuevamente tuvo la oportunidad de trabajar con su hijo Lorenzo Quinn, que interpretaba su personaje en la juventud.

Hombre inquieto, Anthony siguió poniéndose y exponiéndose ante las cámaras casi hasta el momento de su muerte. Su última película fue una producción norteamericana: *Avenging Angelo*, dirigida por Martyn Burke en 2002. Nuevamente, Anthony interpretó a un patriarca y a un mafioso que ha sido capaz de ocultarle a su hija, encarnada por Madeleine Stowe (actriz que interpretó a su joven esposa en *Revenge*), su actividad como alto mandatario del crimen organizado. Cuando el padre es asesinado, la hija busca venganza ayudada por el único nexo de unión que le queda con su padre, el guardaespaldas de éste, interpretado por Sylvester Stallone. A pesar de tal argumento, se trataba de una comedia romántica puesta al servicio de Stallone, empeñado en rescatar su carrera de las cenizas y el rosario de fracasos comerciales que ha ido coleccionando en la taquilla norteamericana en los últimos tiempos.

Junto a los trabajos para el cine, Anthony Quinn incorporó a su currículum profesional de los últimos años varias intervenciones televisivas en series, miniseries y películas producidas para la televisión, que merece la pena citar como epílogo de su otoño como patriarca cinematográfico, ya que en no pocas ocasiones la calidad de alguna de estas producciones es superior a la que tuvieron buena parte de los largometrajes en los que intervino a lo largo de los años 80 y 90. Esta inversión del equilibrio en la calidad cine-televisión, televisión-cine, no es un fenómeno aislado de la filmografía de Anthony Quinn. En los últimos años, el descenso de la calidad en las propuestas del cine comercial norteamericano se ha visto paliado en parte con el incremento de la calidad en las propuestas televisivas llevadas a cabo por algunas cadenas de televisión de pago o por satélite, como la Home Box Office (HBO), cuyos largometrajes para la pequeña pantalla son frecuentemente superiores a buena parte de los largometrajes producidos por los grandes estudios de Hollywood en los años 90. Este proceso tiene también mucho que ver con el público mayoritario en ambos medios. Mientras el cine se ha dejado arrastrar hacia el infantilismo para atender a las perspectivas de un público eminentemente adolescente, que es el que pasa por las taquillas de los cines, la televisión ha podido desarrollar tramas y personajes con mayor madurez, atendiendo a los espectadores adultos que forman la mayoría de su audiencia.

Los trabajos más destacados de Anthony Quinn para la pequeña pantalla se encuentran en la siguientes series o miniseries:

Gesú di Nazareth (Jesús de Nazareth) es una miniserie dedicada a recrear la vida de Cristo, con dirección de Franco Zeffirelli y rodada en el año 1977. Entre las estrellas convocadas para la empresa, Anne Bancroft, Ernest Borgnine, Claudia Cardinale, Laurence Olivier, Donald Pleasance, Christopher Plummer... destacaba la presencia de Anthony Quinn en el papel de Caifás.

Esta coproducción entre Estados Unidos e Italia se estrenó en salas comerciales de varios países antes de pasar al medio para el cual había sido creada.

L'isola del tesoro (La isla del tesoro) era también una coproducción, en este caso entre Italia y lo que en aquel momento era Alemania del Este. Dirigida por el italiano Antonio Margheritti, contó con Quinn para el papel del pirata Long John Silver, pero lo más curioso de su planteamiento es que situó la célebre historia en el espacio, trasladándola desde el género de aventuras al de ciencia ficción. Los estudios Disney hicieron muchos años más tarde similar recorrido para poner en pantalla el largometraje de dibujos animados *Treasure planet (El planeta del tesoro).*

En 1988, Waris Hussein dirigió la miniserie televisiva *Onassis, the richest man in the world (Onassis, el hombre más rico del mundo),* ofreciéndole a Anthony Quinn, que ya había interpretado un remedo de tal personaje real en *El griego de oro,* el papel de padre del propio Aristóteles Onassis, interpretado en esta ocasión por Raúl Julia, con Jane Seymour en el papel de una poco creíble María Callas, y a Francesca Annis el personaje de una también poco creíble Jacqueline Onassis. Lorenzo Quinn también tuvo un pequeño papel en esta producción norteamericana.

Adaptada al cine con Spencer Tracy como protagonista, la novela de Ernest Hemingway *The old man and the sea (El viejo y el mar)*, encontró una nueva expresión en una versión televisiva dirigida por Judd Taylor en el año 1990, con Anthony Quinn en el papel del viejo pescador Santiago, enfrentado al pez en su barca, viviendo el duelo titánico con el mar de una manera sutilmente distinta a la que había impuesto Tracy en la versión cinematográfica. Sería un excelente ejercicio para los estudiantes de interpretación comparar las dos formas de abordaje aplicadas por Tracy y Quinn en este mismo papel, ya que si en el primero sobresale especialmente la viril madurez y la resignación del pescador Santiago, la tozudez del mismo brota en ira más humana en el caso de la interpretación de Quinn, que como suele ser habitual coloca al personaje más cerca del espectador, humanizándolo desde su falibilidad.

Gotti, dirigida en 1996 por Robert Harmon, abordaba la vida del capo mafioso John Gotti, interpretado por Armand Assante, que encuentra protección en su ascenso al poder dentro de las familias del crimen en un gángster veterano y paternal —nuevamente el patriarca—, interpretado por Anthony Quinn. Mejor que muchas películas producidas para la pantalla grande.

Los últimos pasos de Anthony Quinn en la pequeña pantalla le llevaron hasta España, donde jugó un pequeño papel en la miniserie *Camino de Santiago*, dirigida por Robert Young en 1999 e integrada por un puñado de historias que componen un rompecabezas de intriga representado por las distintas historias que viven una serie de personajes dedicados a recorrer la célebre senda, mientras se cometen una serie de asesinatos. Las estrellas y los rostros conocidos eran la clave de esta peripecia de protagonismo coral que contó con Anthony Quinn, Imanol Arias, Charlton Heston, Joaquim de Almeida, Juan Echanove, Pepe Sancho, Robert Wagner y Anne Archer como anzuelos publicitarios para garantizar la distribución internacional del proyecto.

A estos trabajos hay que añadir el papel de Zeus, líder de los dioses en la mitología de la antigua Grecia, que Anthony Quinn interpretó en la serie *Hércules (Hércules, viajes legendarios),* donde hizo una interpretación campechana y algo golfa del dios, radicalmente opuesta a la ampulosa y falsa representación del mismo personaje que había desplegado Laurence Olivier en el largometraje *Clash of the titans (Furia de titanes),* por poner el ejemplo más inmediato en lo que a encarnar a Zeus en la pantalla se refiere. El Zeus de Quinn es un tipo al que casi podemos comprender, egoísta, caprichoso, patriarcal con el protagonista de la historia, el Hércules interpretado por Kevin Sorbo.

La alargada y proteica sombra del patriarca Quinn llegó en el otoño de sus días hasta el mismísimo monte Olimpo, donde habitaron los mitos, tal como la estrella más cercana al común de los mortales que ha conocido Hollywood había llegado mucho tiempo antes hasta el último reducto de los astros del cine norteamericano, para habitar entre ellos sin romper el vínculo con la gente corriente, que se convirtió en su mejor aliado para dar vida a sus personajes.

El revolucionario mexicano, el jeque árabe, el griego sabio, el pintor vitalista, el paisano filósofo, el anciano elocuente, se dieron cita para habitar en el pellejo de un solo hombre que trazó su propio epitafio en una de sus declaraciones:

«Lo étnico no supone ninguna diferencia, soy una persona en el mundo».

Afortunadamente, Anthony Quinn, la estrella-persona, sigue entre nosotros, habitando en sus películas.

Índice

Títulos publicados en esta colección

Emiliano Zapata
Juan Gallardo Muñoz

Moctezuma
Juan Gallardo Muñoz

Pancho Villa
Francisco Caudet

Benito Juárez
Francisco Caudet

Mario Moreno "Cantinflas"
Cristina Gómez
Inmaculada Sicilia

J. María Morelos
Alfonso Hurtado

María Félix
Helena R. Olmo

Agustín Lara
Luis Carlos Buraya

Porfirio Díaz
Raul Pérez López

José Clemente Orozco
Raul Pérez López

Agustín de Iturbide
Francisco Caudet

Miguel Hidalgo
Maite Hernández

Diego Rivera
Juan Gallardo Muñoz

Dolores del Río
Cinta Franco Dunn

Francisco Madero
Juan Gallardo Muñoz

David A. Siqueiros
Maite Hernández

Lázaro Cárdenas
Juan Gallardo Muñoz

Emilio "Indio" Fernández
Javier Cuesta

San Juan Diego
Juan Gallardo Muñoz

Frida Kahlo
Araceli Martínez

Octavio Paz
Juan Gallardo Muñoz

Anthony Quinn
Miguel Juan Payán
Silvia García Pérez

SALMA HAYEK
Vicente Fernández

SOR JUANA INÉS DE LA CRUZ
Juan M. Galaviz

JOSÉ VASCONCELOS
Juan Gallardo Muñoz

VICENTE GUERRERO
Jorge Armendariz

GUADALUPE VICTORIA
Francisco Caudet

JORGE NEGRETE
Luis Carlos Buraya

NEZAHUALCOYOTL
Tania Mena

IGNACIO ZARAGOZA
Alfonso Hurtado